W9-BON-389

LA VOIE DE LA PERFECTION

« Spiritualités vivantes »
SÉRIE ISLAM

Collection « Spiritualités vivantes »
fondée par Jean Herbert
Nouvelles séries dirigées par
Marc de Smedt

BAHRÂM ELÂHI

La Voie de la perfection

L'enseignement secret
d'un maître kurde en Iran

Albin Michel

22, rue Huyghens, 75014 Paris

ISBN : 2-226-01444-6

Présentation

Présenter un ouvrage sur la voie spirituelle n'est pas une tâche aisée surtout lorsqu'on a eu la grâce d'aborder la voie avec l'aide d'un maître véridique. En effet, il n'existe pas de mots pour décrire, au-delà des sentiments et de la pensée, les impressions que les vérités provoquent lorsqu'elles sont vraiment mises en pratique. Nous nous bornerons donc à évoquer l'origine de ces vérités et le cadre dans lequel elles ont été exprimées par Bahrâm Elâhi.

Pour cela, il faut remonter au temps où, selon la tradition islamique, Dieu fit un pacte, une alliance éternelle avec l'homme. Après la chute d'Adam, le premier prophète, au fil des siècles les hommes ont bénéficié de la direction des envoyés de Dieu. Dans la tradition sémitique, ces envoyés furent les prophètes de la Bible, le Christ, puis Mohammad. Dans d'autres traditions, ils ont porté d'autres noms, et beaucoup d'entre eux ont été oubliés. Certains n'ont même jamais été connus, mais ils n'en sont pas moins les initiés, les *Vali* [1], les saints aimés de Dieu et chargés d'une mission spirituelle.

1. Ou *Wali,* pluriel : Awilya.

Les mystiques musulmans, les soufis authentiques savent que ces êtres existent à toute époque ; ils savent qu'ils sont les médiateurs indispensables entre Dieu et l'homme, les gardiens de la vérité ésotérique, du monothéisme absolu.

Leurs manifestations obéissent à certaines lois, connues des initiés ainsi que des vrais saints des religions révélées. Ces hommes forment une Eglise spirituelle, un Ordre qui s'accommode parfois d'un ordre temporel, mais qui ignore toute limitation historique, spatiale, culturelle ou confessionnelle. Quels étaient les *Vali* d'autrefois ? Quel est celui de notre temps ? Seul celui dont l'œil intérieur s'est ouvert le sait ; si Dieu le veut, ou si le *Vali* le veut.

Ce courant ésotérique éternel est décrit ici dans le contexte de l'Islam shi'ite.

Le Shi'isme, rappelons-le, est né, après la mort du Prophète, de la scission entre les adeptes de la loi dogmatique et les détenteurs de la gnose musulmane groupés autour du *Vali* absolu, qui était alors l'Imâm 'Ali, neveu, gendre et premier compagnon du Prophète.

Après lui, les *Vali* se succédèrent dans sa propre descendance grâce à une prévoyance divine. Du premier Imâm, 'Ali, jusqu'au dernier, le Mehdi, la Perfection absolue s'est manifestée en chacun des douze Imâms qui, durant deux siècles, enseignèrent dans le secret la quintessence de la foi et de la Connaissance, pendant qu'au-dehors les adeptes des dogmes officiels élaboraient la brillante civilisation islamique. Les disciples et partisans des Imâms étaient les shi'ites, les ésotéristes, les mystiques, les spirituels de l'Islam. Mais après la disparition du dernier Imâm, le shi'isme devint un mouvement populaire, et se fixa progressivement en une secte islamique orthodoxe et exotérique, qui réunit aujourd'hui, principalement en Iran, un dixième des musulmans.

La vérité *(ḥaqq)* est une source intarissable, mais elle reste cachée, et nul ne peut la saisir sans l'autorisation, sans l'ordre de Dieu. Les soufis eurent beau s'organiser en confrérie, et perpétuer les traditions religieuses, la Vérité leur échappait souvent, et trouvait refuge dans un cœur parfaitement pur et désintéressé, un être prédestiné, qui la portait parfois à l'insu de tous. Pendant ce temps, les confréries maintenaient malgré tout les rites, les symboles et les doctrines, et inventaient des méthodes pour asservir l'âme charnelle et développer des énergies spirituelles.

Toutefois, dans certains ordres très discrets, les conditions étaient particulièrement favorables à la venue des *Vali*. Les purs et les sages attirent sur eux le regard divin ; vers eux sont envoyés les élus détenteurs des vérités ésotériques, et avec eux ils font les derniers pas qui les conduisent à la Perfection. Dans ces ordres, il n'y a jamais de place pour le doute ou l'hésitation, on y connaît les critères véridiques et infaillibles, on sait lire les signes, on saisit l'allusion. Lorsque apparaît un maître désigné par Dieu, ceux qui doivent connaître connaissent, et ceux qui doivent voir voient.

De 1873 à 1920, dans l'ouest de l'Iran, vivait Ḥâjj Ne'matollâh. A l'âge de vingt-huit ans, Dieu lui révéla un état de perfection. Ce réveil spirituel soudain et parfait fut reconnu par un grand nombre de clairvoyants et de spirituels, et des milliers de personnes témoigneront de sa sainteté. Ce fut un maître d'un rang exceptionnel. Nous ne parlerons pas de ses miracles et de ses pouvoirs divins, mais soulignerons simplement le fait qu'il écrivit plusieurs livres, qui sont des sommes ésotériques remarquables et des chefs-d'œuvre de poésie mystique [2]. La plupart de ses œuvres ne sont pas divulguées au public.

Maître Elâhi est le fils de Ne'matollâh. Il est né en 1896 au village paternel, et grandit donc dans un milieu de haute spiritualité. Il ne se détournait de la pure contemplation que pour se familiariser avec la tradition islamique, ainsi qu'avec les autres systèmes philosophiques et religieux.

Après la mort de son père, Maître Elâhi étudia le droit et devint magistrat, pour assurer sa vie matérielle. Il eut ainsi l'occasion de voyager dans tout l'Iran, mais seuls quelques rares disciples bénéficiaient directement de son aide spirituelle. L'un de ses proches dit bien qu'il a vu plus de miracles du Maître qu'il n'a de cheveux sur la tête mais, en réalité, son existence fut discrète, secrète.

Depuis quinze ans, Maître Elâhi a cessé ses activités professionnelles. Il a consacré une partie de son temps à la rédaction d'ouvrages traitant de la voie ésotérique, dont certains ont été publiés en Iran.

Sa voie se caractérise par une connaissance intégrale et précise des vérités spirituelles. On peut parler d'une gnose à condition d'entendre par ce mot, non pas un savoir transmis et acquis, mais une connaissance révélée et expérimentée. Tout ce que disent les derviches et les maîtres en général est déjà connu depuis des siècles, et ils ne peuvent apporter rien de nouveau, même si leurs propos sont inédits. La source de la Connaissance absolue jaillit et donne naissance à des fleuves, dont les eaux se divisent et imprègnent les terrains traditionnels et religieux de quelques traces de vérité. Mais rares sont ceux qui, comme Maître Elâhi, ont eu accès à cette source unique. C'est pourquoi, si beaucoup d'éléments de son enseignement sont traditionnels, il en est d'autres

2. Notamment le *Shâhnâme-ye Ḥaqiqat* (Téhéran-Paris, 1966).

qui sont absolument neufs. Maître Elâhi trace avec sûreté la voie la plus directe, celle qui conduit à la Perfection.

S'il peut agir ainsi, c'est parce que sa méditation a embrassé totalement les questions fondamentales de l'existence, de l'univers, des mondes visibles et invisibles, de la pensée, de l'âme, de Dieu. Et le plus remarquable est qu'il en donne une synthèse claire, simple, évidente et spirituellement très efficace. C'est en cela, entre autres, qu'il se distingue des « ésotéristes » ou des purs « mystiques » ; sa Voie est fondée sur la Religion révélée et sur la Connaissance. Elle s'inscrit dans la tradition musulmane shi'ite primordiale, c'est-à-dire avant que le shi'isme ne se constitue à son tour en dogme exotérique et en mythe. Maître Elâhi est lui-même d'une vieille famille de spirituels, et appartient à un ordre très particulier, celui de Ahl-e Ḥaqq [3] qui, au fil des siècles, a compté à sa tête plusieurs maîtres parfaits, plusieurs *Vali*. Toutefois, au lieu de maintenir cette tradition secrète comme il le fit jusqu'à ces dernières années, il a progressivement laissé venir à lui des disciples d'origines diverses.

Si nous nous bornons à esquisser du Maître un portrait très superficiel et sommaire, c'est que son rang spirituel dépasse toute description. Le deviner, c'est déjà accéder à l'illumination.

Maître Elâhi eut trois fils, qui héritèrent toute sa sagesse. Chacun est investi d'une mission particulière, et ils sont en quelque sorte les médiateurs, les intercesseurs entre les disciples et leur maître.

Le second fils du Maître est Bahrâm Elâhi, l'auteur de ce livre. Tout en parcourant la Voie sur les traces

3. *Ḥaqq*, traduit parfois par vrai, réel, signifie Dieu dans son attribut suprême de Vérité. Ahl-e Ḥaqq = Fidèles ou Fervents de Dieu.

de son père, il a vécu de nombreuses années en France. Actuellement professeur agrégé à la faculté de Médecine de l'université de Téhéran, il consacre tout son temps libre à guider les fervents dans la voie du perfectionnement. Il représente Maître Elâhi. Sa parole et celle du Maître ne font qu'un.

Nous ne pouvons évoquer que brièvement l'atmosphère très particulière qui caractérise la voie de Maître Elâhi. En effet, de nos jours, bon nombre de « centres initiatiques » s'ouvrent un peu partout, en Orient comme en Occident. Il faut dire que ces voies n'ont aucun rapport avec celle qui est exposée ici, mais il n'y a pas lieu d'établir de comparaisons entre les mystiques, car ce n'est pas le chemin qui est essentiel, mais le but, et surtout le guide. Seul un vrai guide conduit ses disciples au but, par des chemins connus parfois de lui seul, mais tracés selon des principes immuables. Un guide imparfait n'a pas le pouvoir de guider jusqu'à la Perfection, et peut tout au plus suggérer une direction ; quant au mauvais guide, il égare ses disciples, même sur une voie traditionnelle. La seule voie est donc celle d'un maître véridique.

Contrairement à une imagerie très répandue en Orient comme en Occident, Bahrâm Elâhi n'a rien du guru ou du sheikh aux poses hiératiques et au discours obscur. Ses paroles sont fortes et précises, dénuées de tout artifice et de toute subjectivité, elles résonnent comme des vérités éprouvées et s'imposent d'elles-mêmes à l'esprit. Cette impression de vérité laisse des traces durables dont on ne se rend compte que par la suite et, plus tard, ceux dont l'œil intérieur est plus ou moins ouvert prennent conscience de son rang spirituel exceptionnel. Une parole de l'Imâm 'Ali s'applique parfaitement à lui : « Etre devant Dieu le meilleur des hommes, pour soi-même le pire, et devant les hommes comme l'un d'entre eux. »

Le savoir que Bahrâm Elâhi nous transmet dans ce livre ne donne jamais l'impression d'avoir été acquis de l'extérieur, mais semble se référer à une expérience vécue, même lorsqu'il touche aux plus hautes questions métaphysiques. On peut dire que la vérité lui vient d'En-Haut sans la moindre ambiguïté, et parfois même à l'encontre des dogmes officiels et des idées répandues. Les élèves s'aperçoivent très vite que pas un recoin de leurs pensées ou de leur âme ne lui est inaccessible. A plus forte raison, il en est de même pour Maître Elâhi, et des centaines d'exemples pourraient être cités, prouvant sa clairvoyance. Son regard est comme celui de Dieu : rien ne lui échappe, mais sa clémence nous le fait oublier. Dans ces conditions, on comprendra le fondement de la voie du perfectionnement : le disciple doit toujours sentir sur lui le regard divin, et ce regard est actualisé dans sa conscience par le lien spirituel qui le rattache à son maître. Il s'agit donc bien d'autre chose que d'un symbole, d'un support ou d'un lien affectif : un vrai maître connaît et voit réellement ce qui se passe dans la vie et dans l'âme de celui à qui il veut bien accorder sa direction. Et comme son regard est aussi miséricorde et bonté, il est pour le disciple le principe actif du perfectionnement.

Si on saisit la portée réelle de ce principe, on comprend que la plupart des éléments dont s'agrémentent les voies ésotériques sont superflus pour un maître parfait. Les « moyens » mis en œuvre dans sa pédagogie sont très subtils, et seul un maître pourrait en parler, bien qu'il risque de ne pas se faire comprendre, même parmi les familiers des traditions ésotériques et mystiques. On retiendra seulement que les fondements de la voie sont la foi et la sincérité, et qu'en plus la purification active de l'âme s'accompagne d'une connaissance objective. Cette connaissance est elle-même un principe utile au perfectionnement, et c'est pourquoi ce livre en expose les aspects essentiels.

Apparemment, la Voie n'est pas dominée par une forme très précise, un rituel astreignant. Pourtant, à mesure que l'on bénéficie de la direction du Maître, on prend conscience de la rigueur implacable et de la justice absolue de la voie, des efforts constants qui y sont exigés, mais aussi du soutien moral et spirituel que le Maître accorde à ceux qui s'en remettent à lui. Tout cela se passe dans des rapports ou des situations extrêmement subtils, où la foi et la sincérité sont souvent mises à l'épreuve.

Pour en rester aux apparences, disons que, pendant quelques heures par semaine, les derviches rendent visite au Maître. Ces réunions sont très simples et recueillies : on médite sur des chants sacrés *(z̲ekr)*, puis on pose des questions au Maître, et certains notent ses paroles. Les disciples sont des hommes et des femmes de tous âges. Ils appartiennent à toutes les classes de la société et exercent les métiers les plus divers. Aucun d'entre eux ne mène une vie purement contemplative, et tous ont une activité normale.

Parmi eux se trouvent quelques Européens. Bahrâm Elâhi s'est donné la peine de résumer pour eux les principes de la voie dont il est le guide parfait. Au cours des nombreuses conversations et exposés en français, tous les aspects fondamentaux de la voie furent évoqués. Les notes et les enregistrements pris par les disciples furent classés et rédigés, puis corrigés par l'auteur, qui répondait ainsi aux vœux de ses élèves occidentaux, toujours épris de principes clairs et de connaissances définies. Par la même occasion, ce livre devait constituer une première approche de la voie de perfectionnement pour les non-initiés.

Il eût été facile d'étonner et d'intéresser bon nombre de lecteurs en exposant certains aspects pittoresques de la spiritualité, mais ce n'est pas là le propos d'un Maître. Ce que veut ce livre, c'est simplement donner au croyant les bases sur lesquelles reposera sa foi, et les principes grâce auxquels il perfectionnera son âme.

Quelque temps avant la parution de cet ouvrage, Maître Nur 'Ali Elâhi a quitté ce monde. Le soleil s'est caché derrière l'horizon, mais, dans le crépuscule, son flamboiement éclaire et illumine toujours les vrais Ahl-e Ḥaqq. La lumière de Nur 'Ali transparaîtra toujours à travers le plus digne adepte de la Voie de la Perfection.

J. D.

A MON CRÉATEUR,
MON MAITRE,
MON PÈRE...

Qui sommes-nous ? D'où venons-nous ? Pourquoi sommes-nous dans ce monde et que devons-nous y faire ? Autant de questions dont l'homme, depuis Adam, a essayé de découvrir la réponse, sans y parvenir complètement. Trouver cette réponse n'est pas impossible, à la condition de s'y appliquer de tout son cœur, d'avoir la foi absolue en Dieu, d'observer Ses commandements et de respecter Ses interdictions, de suivre les Envoyés de Dieu qui sont venus nous faire comprendre les vérités essentielles.

Ce que j'ai écrit n'est qu'une parcelle des enseignements de Maître Elâhi. Je me contente de citer son nom, car je me sens trop infime pour pouvoir le présenter : ce livre est comparable à une goutte d'eau, et le savoir du Maître à un océan. Grâce à Dieu j'ai connu mon Maître. Il m'a éduqué et m'a fait connaître Dieu, Dieu le miséricordieux qui m'a accordé la faveur de me réveiller du sommeil de l'ignorance et m'a fait prendre la voie du perfectionnement, seul chemin du salut éternel.

A mon tour j'ai le devoir de transmettre à mes semblables une part de la Connaissance que j'ai reçue, de leur donner la pierre de touche que veut constituer ce livre, sans me soucier du résultat ni des réactions possibles, et sans l'idée d'un profit quelconque.

Ce livre est un guide pour tout homme, quelles que soient sa religion ou ses opinions. Il lui indique son origine, sa raison d'être et sa destination finale. Il lui montre le chemin, le met en garde contre les innombrables dangers qui le guettent, et lui donne les moyens de les éviter.

Il parle d'un Dieu unique, créateur et ordonnateur de l'univers, et de la Religion, qui est, elle aussi, unique : la religion des prophètes. Il cite les principes de chaque religion ainsi que des opinions répandues sans les juger toutefois. Nous respectons toutes les opinions, mais au jour du jugement, chacun n'aura à répondre que de lui-même, et obtiendra ce qu'il mérite. Tout homme est destiné à retourner à son origine céleste. Si la voie du perfectionnement est une chose si grave, c'est que notre demeure éternelle se conquiert dans notre vie d'ici-bas. Chacun est libre de choisir entre la proximité lumineuse de l'Essence divine, ou l'éloignement ténébreux de la damnation, entre la félicité et la douleur éternelles.

Nous avons tous un devoir envers nos semblables. J'ai essayé ici d'accomplir ce devoir — que le Tout-Puissant l'accepte comme tel —, et de m'acquitter de ma dette envers mon Maître et envers Dieu. Je Lui demande de toute mon âme de donner le salut à ceux qui ont foi en Lui, et de faire aux égarés la grâce de trouver la vérité.

Bahrâm Elâhi.

Avertissement de l'auteur

Chaque religion authentique comporte deux dimensions : l'une extérieure, l'*exotérisme,* l'autre intérieure et profonde, ou *ésotérisme.*

L'exotérisme des différentes religions authentiques, bien qu'elles aient les mêmes principes de base, varie nécessairement dans les détails, sous l'influence du temps, du lieu, de l'intellect, de la civilisation, etc. Cet exotérisme est une étape essentiellement « rituelle », et dont la réalisation permet au croyant de passer spirituellement à l'étape ésotérique. L'exotérisme, qui constitue l'étape préparatoire de la progression spirituelle vers la perfection, peut être compris, dans une certaine mesure, par les sens ordinaires et par l'intellect ; mais le véritable enseignement ésotérique n'est accessible qu'à ceux qui ont pratiqué, assumé et dépassé l'étape exotérique dans l'une des religions des prophètes : Judaïsme, Zoroastrisme, Bouddhisme, Christianisme ou Islam.

Etant donné que les exotérismes ne diffèrent que par des détails et non dans les principes, chacun pourra parcourir les étapes préliminaires dans sa propre religion, sans qu'il soit nécessaire d'en changer. Par contre, l'ésotérisme des religions constitue le sommet d'une pyramide : il est unique. L'exotérisme est traité par les représentants des différentes religions, et chaque adepte pourra, à l'aide de son esprit et de sa foi, distinguer le vrai du faux, afin de le mettre en pratique, et de terminer cette première étape.

L'ésotérisme, lui, concerne les sens spirituels, le « sixième sens ». Il est presque impossible de faire comprendre l'ésotérisme à ceux qui n'ont pas encore éveillé leurs sens spirituels. Seule une petite minorité, dans chaque religion, parvient à parcourir jusqu'au bout les étapes préparatoires que constitue l'exotérisme ; elle est donc apte à comprendre le véritable enseignement ésotérique. Celui-ci a engendré toute une littérature symbolique, contenant parfois des vérités, mais le plus souvent fragmentées, sans enchaînement, et donc de peu d'utilité pour ceux qui recherchent une pratique conduisant à la Vérité.

Ce livre est une synthèse des lois spirituelles et ésotériques éternelles, un petit guide pour les assoiffés de vérité, pour ceux qui, du plus profond d'eux-mêmes, aspirent à Dieu. Bien qu'il soit vrai à tous les niveaux, il ne sera compris que par les purs monothéistes, ceux qui ont acquis, dans cette vie ou dans leurs vies précédentes, la capacité spirituelle d'assimiler les enseignements divins leur permettant de progresser et d'atteindre le but final pour lequel nous avons été créés.

Les vérités, traitées ici dans une langue simple, ne seront assimilées et approuvées que par ceux qui ont dépassé la porte de l'ésotérisme et atteint spirituellement cette étape ; elles seront, par contre, considérées par les autres comme une théorie sans grand intérêt. Or, le propre de l'ésotérisme réel, c'est d'être exprimé simplement, et de cacher son sens profond, non pas derrière un symbolisme artificiel, mais derrière un sens immédiat « apparemment » évident. Ceux dont l'âme est éveillée saisiront ce sens, mais les autres n'y verront peut-être qu'une sorte de catéchisme. La vérité est comme un miroir, et chacun n'y voit que sa propre image.

ای آنکه طلب کنی حذار آینه

حق شناس ما را ای روی تو

چون شمس منور شده روشن

وی قامتت خوشبوی تو تازه

شده گلبنش قد حرره فی شهر محرم الحرام

بخط حقیر الفقیر حاجی نعمت الله مجرم

نوشته شده که ان الله به یادگار بماند

O toi qui cherches Dieu
Considère-nous comme les miroirs qui Le reflètent
Ton visage est illuminé comme le soleil
Tu es devenu un jardin parfumé.

Ecrit au mois de Moharram ol Haram par l'humble Ḥâjj Ne'matollâh (Modjrem). Que ceci reste en souvenir, si Dieu le veut.

PREMIÈRE PARTIE

I

Principes et fondements

— De toute éternité, Dieu est.

— Dieu est le créateur et l'ordonnateur de tout l'univers visible et invisible.

— Le monde matériel est le monde du corps qui, à la mort, retourne à la terre.

— Le monde invisible est le domaine de l'âme angélique ou *soi* qui, elle, ne disparaît jamais et demeure éternellement.

— Dieu crée les âmes de Son Souffle, de Son Expir, et cette création est *continue*.

— L'âme angélique est créée pure, mais il ne suffit pas qu'elle soit pure, elle doit devenir parfaite. Elle est créée pure, mais *ignorante*. Après avoir habité le corps humain, elle doit redevenir pure, mais *connaissante*.

— Pour progresser, l'âme doit être mêlée à la matière ; elle doit connaître la vie terrestre et habiter un certain nombre de corps humains.

— Le corps est un vêtement provisoire pour l'âme, une monture qui porte l'âme sur le chemin du perfectionnement, de la naissance à la mort, et qui est renouvelée dans une autre vie, à moins que l'âme ne soit arrivée à sa perfection.

— Il a été fixé pour le perfectionnement de toute âme, un temps limité et un nombre défini de vies.

— L'âme est *libre* d'arriver au but avant le délai fixé, ou de n'y parvenir jamais.

— Dans la mesure où nous sommes libres, nous sommes *responsables* de notre destinée. Nous devons rendre compte de chacun de nos actes et de chacune de nos pensées.

— Nous sommes sur terre pour parfaire notre âme ; une fois parfaite, elle retourne à Dieu et vit éternellement, dans un état de bonheur tel qu'il n'y a pas de mots pour le décrire, un état de bonheur absolu et définitif, qui se renouvelle sans cesse en une illumination toujours plus intense.

Ceux qui avancent ces vérités fondamentales ont les sens et la logique adéquats pour en parler.

Les vérités spirituelles se comprennent à l'aide des sens spirituels et tous les prophètes ont démontré que l'être humain possède des sens qui d'ordinaire sommeillent en lui. Ce sont ces sens intérieurs qu'il importe de connaître et de développer. Pour voir au-delà d'un mur opaque, l'œil est insuffisant, mais avec l'œil de l'âme, la matière n'est plus un obstacle, et avec l'oreille de l'âme, il est possible d'entendre le moindre bruit dans la planète la plus lointaine, et aussi la voix secrète des cœurs.

Quant à la logique ordinaire, elle est incomplète, car elle ne concerne que le monde terrestre et les cinq sens extérieurs, et on ne réussira jamais à embrasser tout, à comprendre tout avec des moyens matériels et spirituels aussi limités. Les réalités du monde métaphysique ne peuvent être niées par les sens et la logique ordinaires, car, à un certain niveau, ces facultés sont intégrées dans les facultés spirituelles. Ce niveau est celui de la raison suprême, qui s'appuie sur la logique des dix sens : cinq sens physiques et cinq sens spirituels. Tout homme a le pouvoir de mettre en communication ses sens physiques avec ses facultés spirituelles, et de percevoir et éprouver les réalités métaphysiques, à condition de suivre avec une foi totale la voie indiquée par les prophètes et les saints. Alors, la voix du cœur, qui traduit les impressions de l'âme angélique, se fera l'écho de la Vérité et guidera le croyant vers la Perfection.

II

De l'existence de Dieu

De nos jours, il y a deux sortes d'individus : ceux qui pensent que Dieu existe et ont des arguments pour cela, et ceux qui disent que Dieu n'existe pas.

Pourtant nul ne peut nier l'existence d'une force par laquelle toutes les créatures ont été créées, une force que rien n'a créée, qui est par elle-même et qui a créé l'univers. Si on refuse cette idée, on n'aboutit à rien ; on dira que « quelque chose » a créé une autre chose, et ainsi de suite à l'infini. Certains pensent que l'univers a été créé par lui-même, mais cela est absurde, car une chose qui était néant ne peut devenir son propre créateur.

Les uns appellent cette force créatrice la Nature ; les autres, Dieu. La différence est que ceux qui l'appellent Dieu la considèrent comme une force pensante, qui a une volonté, qui a la conscience de ce qu'elle crée, et connaît le but et la finalité de son œuvre. Les autres, au contraire, affirment qu'il ne s'agit que d'une force aveugle, irrationnelle et dépourvue de volonté.

Ceux qui reconnaissent l'existence de Dieu se divisent en deux groupes : d'une part ceux qui croient en Lui à travers la religion, et d'autre part ceux qui admettent Son existence par la raison ; ils constatent en effet un ordre dans certains aspects de la création, et en induisent l'existence d'un ordonnateur. En étudiant la créature, on comprend le créateur, on peut savoir si elle a été créée par une force inconsciente et involontaire, ou par une force consciente et volontaire. De même, si l'on découvre un objet vieux de milliers d'années, on reconnaît avec évidence la main de l'homme, d'un être pensant qui a eu la volonté de créer, car la nature n'a ni la conscience ni la volonté de créer quelque chose. Or, en considérant l'univers et l'ordre invariable qui le régit, on est forcé d'y reconnaître la marque d'une pensée consciente. Ainsi, les mouvements des planètes ont un ordre défini, calculable et prévisible, dû à un Etre pensant qui a créé cet ordre et le maintient.

Certains disent que l'univers provient d'une force dépourvue de volonté et de conscience, une force qui a créé une fois, puis a disparu. Or, est-il possible à une force inconsciente de créer un univers ordonné, défini, calculable ? Et nous, qui sommes des êtres pensants et doués de volonté, est-il possible qu'une simple force naturelle soit capable de nous créer pensants et doués de volonté ? Certainement non. Si l'on voit des traces de pas, on en conclut qu'un être est passé par là. De même, en considérant l'univers et son propre « soi », on aboutit à un créateur unique, à Dieu.

Chaque créature est douée d'un ordre déterminé, mais avec nos sens physiques nous ne décelons cet ordre que dans certaines catégories de créatures. Néanmoins, plus la science progressera, plus on constatera l'ordre de toute chose. Il est même certain que dans un proche avenir l'existence du Créateur unique sera démontrée par la science officielle, ce qui mettra fin à toute discussion stérile.

Pour ces raisons, nous savons que toutes les créatures de l'univers ont été créées par une force que nous appelons Dieu. Il domine Sa création, Il l'a pensée et voulue. Il n'a rien créé de mauvais, car à chaque chose Il a assigné un but et une sagesse. Il continue à maintenir Son règne et continuera à le maintenir éternellement.

On pourrait citer beaucoup d'autres arguments, mais nous nous en tiendrons aux plus simples et aux plus évidents.

III

La création de l'univers

Dieu est. Il n'a pas été engendré. Il est la cause primordiale qui n'a pas été créée par une autre cause. Il a créé le monde matériel et le monde invisible.

La première création de l'univers est appelée la Sagesse première *('aql-e avval).* Au commencement était Dieu. Rien d'autre n'existait que Lui. Il décida de créer l'univers, et fit la Sagesse première, qui est en quelque sorte la Matière Primordiale de l'univers. De la Sagesse première procèdent neuf autres Sagesses qu'on a appelées Sagesse deuxième, Sagesse troisième, etc. Ces Sagesses sont les causes créatrices de différentes parties de l'univers. Ainsi, toute créature, excepté Dieu, a pour origine la Sagesse première.

En chaque créature réside la possibilité d'accéder à sa propre perfection. Cette potentialité, cette force qui tend vers la Perfection, est décelable pour nous dans les mondes végétal et animal. Le mouvement de perfectionnement est continu depuis l'être le plus inférieur jusqu'à l'être le plus élevé. Il est dû à un influx, ou essence vitale invisible qui habite tout ce qui existe, et qui donne la vie aux êtres visibles, si bien qu'un être séparé de son propre influx perd la vie instantanément. Chaque chose, depuis la plus infime unité du monde matériel, jusqu'à la composition la plus perfectionnée (qui, sur notre planète, est l'homme) possède un influx, une essence vitale qui poursuit son chemin de perfectionnement au moyen de la transformation continuelle de la matière.

Il n'y a pas de matière inerte, car même les minéraux sont animés de ce mouvement intérieur et ont leurs sensations propres. De par sa nature ce mouvement tend vers Dieu ; il est la cause du perfectionnement visible d'un être depuis sa naissance jusqu'à sa mort, mais il est aussi lié au perfectionnement invisible des essences vitales.

Les essences vitales existent à plusieurs niveaux de la création et à des états différents ; nous les appelons âmes. Il y a cinq sortes d'âmes : l'âme des minéraux, l'âme des végétaux, l'âme des animaux, l'âme de l'animal-humain, ou âme *basharique* [1], et enfin l'âme angélique.

Pour notre planète, l'être le plus inférieur est la terre ; il y a des êtres inférieurs à la terre, mais nous n'en parlons pas car ils sont inconnaissables par les sens physiques. Le mouvement de perfectionnement pour notre globe commence donc par la terre. La terre est habitée par une force vitale impondérable qu'on appelle l'âme minérale. Cette âme suit son processus de perfectionnement, et lorsqu'elle est arrivée au terme de son perfectionnement, elle se transmute en une âme d'un niveau supérieur, l'âme végétale. Comme l'âme végétale est l'aboutissement de l'âme minérale, elle porte l'empreinte de l'âme minérale. L'âme végétale est cette force qui permet le développement et la croissance du monde végétal.

Les végétaux se perfectionnent aussi, car dans chaque être réside cette force, l'âme, qui est l'origine et la cause de son perfectionnement. Si cette force,

1. *Bashar* : l'homme appartenant à l'espèce, au genre humain. Ame *basharique* désigne l'âme de l' « animal-humain », indépendamment de son âme angélique *(malakuti)*.

par accident, n'existe pas dans une graine par exemple, celle-ci est incapable de se développer. Ainsi, il y a des graines qui sont mortes, et ne possèdent pas cette potentialité de germer et de se multiplier. Elles ne se distinguent pas extérieurement des autres, mais il leur manque cette essence vitale qui se trouve dans la graine vivante.

Jusqu'au niveau de l'âme *basharique*, les âmes n'ont pas d'individualité, aussi progressent-elles par *accumulation*. En s'accumulant, l'âme minérale arrive à son seuil et devient âme végétale. De la même manière, l'âme végétale se perfectionne, s'accumule et élabore l'âme animale.

Quant à l'âme animale, elle permet finalement la création de l'âme basharique, c'est-à-dire de l'animal-humain. Puisque chaque âme est une composition de sa propre âme et des âmes précédentes plus primitives qui ont permis son élaboration, l'âme de l'animal-humain est donc composée de quatre âmes : l'âme minérale, présente dans différentes parties du corps, telles que les os ; l'âme végétale qui, entre autres, fait pousser les ongles et le système pileux, et l'âme animale et animal-*basharique,* qui marquent les hommes de telle façon que certains caractères d'animaux dominent nettement dans le physique et le tempérament des individus.

Le corps de l'animal-humain est l'aboutissement, la perfection de la matière, et sert de réceptacle à l'âme angélique, qui, elle, vient directement de Dieu. A la mort, le corps, issu de la terre, retourne à la terre, et l'âme angélique persiste, ayant gardé en elle l'empreinte de l'âme *basharique*.

La création est continue et éternelle, soit qu'elle émane directement de Dieu (les âmes angéliques), ou indirectement, des planètes : elle est comparable à une source, dont les eaux s'écoulent sans interruption vers l'océan du monde éternel.

IV

Le chemin de la perfection

Toute âme a besoin de la matière comme support pour accomplir son perfectionnement et devenir une âme d'un niveau supérieur. Mais alors que le support matériel se désagrège après avoir atteint la perfection, et que ses composants sont restructurés dans une nouvelle forme, l'âme, elle, ne se désagrège pas, mais continue son évolution. L'âme minérale, perfectionnée et accumulée, forme l'âme végétale, puis animale, puis animale-humaine. Toutefois, la « création » de chaque espèce n'est pas le résultat du perfectionnement de l'espèce qui lui est inférieure ; par exemple, l'âme minérale perfectionnée ne crée pas les plantes, mais elle permet leur croissance, leur perfectionnement matériel et spirituel. C'est Dieu qui a créé les minéraux, les végétaux, les animaux et les hommes. L'animal est un réceptacle pour l'âme animale, la plante est le réceptacle de l'âme végétale, etc.

Depuis sa création, la matière se transforme sans jamais disparaître, et parallèlement à celui de l'âme, il y a aussi un certain perfectionnement de la matière déterminé par l'âme. Par ailleurs, dans chacun des mondes minéral, végétal et animal existent différents niveaux d'évolution. L'âme végétale, selon qu'elle est plus ou moins perfectionnée, habite des espèces végétales plus ou moins évoluées. De même, il y a des degrés de perfectionnement à l'intérieur de l'espèce animale : une accumulation d'âmes animales inférieures peut donner une âme animale plus perfectionnée. Cela explique qu'il existe des animaux dont la chair est licite, et d'autres dont la chair est illicite. (Il ne s'agit pas, comme on le croit, d'une question d'hygiène, car leur influence sur le corps n'est qu'accessoire. En réalité, les animaux illicites rendent notre âme angélique malade, et cette mauvaise influence est d'autant plus évidente qu'une âme est plus pure ou plus perfectionnée.)

Tous les êtres sont formés d'un certain nombre d'éléments de base, mais ce qui les distingue c'est l'agencement de ces éléments, leurs structures. Chaque forme, chaque structure, reçoit l'âme qui lui est propre, chaque âme habite le support adéquat et contribue à maintenir l'ordre et la structure de ce support.

La matière termine son perfectionnement au niveau de l'animal-humain, après que son âme est devenue âme minérale, végétale, puis animale. La composition de l'homme est exceptionnelle : d'une part, son âme animale-humaine, ou *basharique,* est l'aboutissement du perfectionnement de la terre, et d'autre part, outre cette âme, il possède une âme angélique, ou expir divin. Ces deux âmes s'interpénètrent ; après la mort, le corps se décompose en ses éléments constitutifs, mais l'âme angélique demeure intacte et ne disparaît jamais.

C'est l'opposition dans l'homme entre l'âme *basharique* et l'âme angélique qui permet à cette dernière de se perfectionner. L'une tend vers l'animalité, l'autre vers la divinité ; c'est seulement lorsque la part divine domine et contrôle l'animalité qui est en nous que l'âme angélique peut rejoindre la divinité. Tant qu'elle n'a pas atteint ce niveau, l'âme angélique doit habiter de nouveaux corps jusqu'à une limite fixée, au-delà de laquelle elle ne revient plus dans le monde matériel, quel que soit le niveau de perfectionnement qu'elle a atteint. Il y a donc dans l'être humain un élément qui vient directement de Dieu, et qui possède des qualités divines : de même que Dieu est immortel, l'âme, qui est l'expir divin, est immortelle.

Chez les hommes, l'âme angélique plus les empreintes de l'âme *basharique* constituent le soi-même, le *soi*. Toutes les sensations du soi sont conservées après la mort du corps. Il faut comprendre que la mort n'est pas un sommeil, que la réalité de soi-même, l'âme, va dans l'autre monde en plein éveil, et qu'en vérité c'est la vie terrestre qui est comme un rêve.

Le corps n'est qu'un vêtement pour l'âme. De même que chacun, au cours de sa vie, change d'apparence physique sans changer de personnalité, de même le soi, de la naissance à la mort, et même après la mort, ne change pas. L'unité de soi-même est invariable ; celui qui meurt quitte simplement son vêtement et s'en va dans l'autre monde. Après la mort, les sensations demeurent, et sont même plus aiguisées que dans la vie terrestre, de sorte que certains individus sont morts depuis des années, mais n'ont pas encore réalisé qu'ils sont dans l'autre monde. (Il s'agit là d'une sorte de punition.)

D'autre part, chaque fois que l'âme angélique habite un nouveau corps, elle garde après la mort l'empreinte des caractères de ce corps. Si elle a vécu dans les corps de A, B, C, D etc., jusqu'à Z, elle conserve en elle tous les caractères et toutes les impressions de A, B, C, D, etc., jusqu'à Z, sans pour autant changer de soi. Et chaque fois qu'elle quitte un habit, elle se souvient de tous ses passés, depuis la première vie jusqu'à la dernière.

L'âme angélique a pour véhicule le corps humain, et ne peut en principe habiter que dans un corps humain. Mais un seul véhicule, une seule monture, ne suffit pas, et il en faut de nombreuses pour parcourir le chemin du perfectionnement.

A partir du premier habit, l'âme dispose de cinquante mille ans pour se perfectionner, et a mille étapes à parcourir, soit au minimum une étape par vie. La durée moyenne de la vie étant de cinquante ans, mille existences nous sont imparties pour parvenir à la Perfection. Il est possible d'arriver au but en moins de temps : en cinquante, ou en cent ans, mais cela peut aussi exiger beaucoup plus, ou même les cinquante mille ans.

Il arrive aussi qu'au bout de cinquante mille ans l'âme n'ait pas atteint sa destination ultime, que le poids des péchés l'emporte sur celui des bonnes actions. Même si le poids des bonnes actions l'emporte, on ne gagne pas la Perfection pour autant. Pour les âmes non parfaites, il existe deux mondes : l'enfer et le paradis. Quant aux âmes parfaites, elles rejoignent la proximité de leur Créateur. Tout en conservant leur identité, elles rejoignent Dieu, comme une goutte d'eau se perd dans l'océan.

Chaque homme a la potentialité d'arriver à la Perfection. Nous avons tous une certaine liberté de bien agir ou de mal agir. Dans la mesure où nous disposons du libre arbitre, nous influons sur notre destin et le temps que nous mettons à nous perfectionner dépend uniquement de notre effort. Et pour nous montrer le chemin, Dieu a envoyé Ses prophètes et Ses saints.

Dieu a créé la première Sagesse, laquelle a engendré les suivantes, et l'ensemble de ces Sagesses constitue la substance première de l'univers. A un autre niveau, chaque planète engendre les créatures qui l'habitent. Le père et la mère sont la cause de l'enfant, et ainsi de suite, car toute la création de l'univers est fondée sur la relation cause-moyen (actif-passif)-effet. Si certains êtres sont plus évolués que d'autres, c'est une conséquence de cette loi. Chaque être est la cause de l'être qui lui est inférieur, et le résultat ou le moyen des êtres qui lui sont supérieurs. Lorsque Dieu a créé le monde, Il a aussi bien créé le ver et l'homme, que la terre et les arbres. Pour que la nature soit complète et puisse évoluer, il faut toutes sortes d'êtres inférieurs, moyens et supérieurs.

Le pouvoir de se perfectionner existe en tout être ; les êtres qui sont plus proches de Dieu, comme l'homme, et ceux qui en sont plus éloignés, comme la terre, doivent arriver au même but, qui est leur propre perfectionnement. Mais l'homme est plus avancé que la terre, les végétaux et les animaux, et le chemin de l'âme végétale ou minérale est plus long. Conformément au principe d'équité, la progression des âmes est involontaire et automatique pour les êtres inférieurs à l'homme ; ainsi, chacun de ces êtres est tout à fait satisfait de ce qu'il est, et participe en définitive à la création de l'être animal-humain, qui est le plus noble et le plus évolué sur la terre.

Jusqu'à un certain degré, le perfectionnement des créatures est donc automatique, mais dès qu'apparaît l'âme angélique, l'automatisme disparaît et la volonté individuelle intervient. Se perfectionner, ou obtenir le paradis ou l'enfer, dépend de chacun de nous, qui sommes dotés d'une âme angélique, et donc d'une volonté et d'une pensée capables de distinguer le bien du mal.

Chaque homme participe à son destin et obtiendra ce qu'il a mérité. L'homme est responsable, il doit rendre compte de ses actes, et il ne dépend que de lui d'aller en enfer, au paradis ou au but final pour lequel il a été créé : la Perfection.

V

Origine et destination de l'être humain

Les opinions répandues au sujet de l'origine de l'homme, de son évolution et de sa destinée sont pour la plupart tout à fait erronées, et sont le fait de nos vues limitées. On croit, par exemple, que la civilisation remonte à quelques milliers d'années, alors qu'il y en a eu d'innombrables avant la nôtre. La civilisation actuelle arrivera à son apogée avant de se faire disparaître. Les survivants recommenceront un nouveau cycle et croiront être les premiers sur terre.

Certains pensent que l'homme et le singe ont la même origine, ou que les animaux supérieurs sont un aboutissement de l'évolution des espèces inférieures, etc. ; et il existe bien d'autres théories, parfois appuyées sur des expériences. Il peut y avoir quelques vérités dans ces théories, mais les méthodes actuelles de recherche qu'elles utilisent seront toujours insuffisantes pour englober toute la vérité.

L'homme est un animal doté de l'âme de l'animal-humain, mais il a aussi autre chose en lui : l'âme angélique. En tant qu'animal-humain, il possède les instincts des animaux et se comporte comme eux, mais son côté angélique lui donne le pouvoir de contrôler totalement ses instincts, de créer et de découvrir les secrets de la création, et bien d'autres choses, car l'homme est attiré par le progrès et la découverte.

Dans chaque créature il y a un aspect *visible* apparent, et un aspect qu'on dit *invisible* et subtil. En réalité si l'homme utilisait tous les dons qu'il possède, il pourrait voir l'aspect invisible des choses, découvrir la vérité et mettre fin aux discussions de sourds. Le côté visible de toutes les créatures est composé d'éléments simples, mais de structures variées, appropriées à chaque corps. Le côté invisible est une sorte d'influx ou d'essence vitale, qui les met en perpétuel mouvement et en transformations constantes, et les pousse vers le perfectionnement.

Le mouvement de perfectionnement agit en chaque être, aussi bien sur son côté visible que sur son côté invisible. Chez l'homme, l'apparence est un corps d'animal qui marche debout. Son côté invisible est formé de deux éléments : le premier est la somme d'un certain nombre d'influx perfectionnés de nombreux minéraux, végétaux et animaux ; c'est l'âme basharique. L'autre est l'expir divin, l'âme angélique. En vérité, l'essentiel réside dans l'influx ou âme, c'est-à-dire dans l'aspect invisible des êtres. L'apparence concrète et visible n'est qu'un support nécessaire au perfectionnement de l'âme, de l'influx.

L'homme possède, en plus de ses sens physiques, un ensemble de sens spirituels qu'on appelle le « sixième sens », qu'il peut réveiller en prenant le chemin approprié, et au moyen duquel il peut pousser très loin ses recherches. Un jour arrivera où, combinant parfaitement ses pouvoirs intellectuels et spirituels, il découvrira la vérité et coupera court aux discussions stériles qui font obstacle au vrai perfectionnement.

En un mot, la différence entre l'homme et l'animal

est radicale. Comme l'ont dit tous les prophètes, qui avaient le don de voir très loin dans le temps et de remonter jusqu'à la Création, l'homme a été créé tel qu'il est. Le problème du perfectionnement n'est donc pas un problème physique ou historique. De nos jours, les âmes ne sont pas plus perfectionnées qu'autrefois, car elles sont déversées dans l'existence par une source continue, un flot ininterrompu comme le rayonnement du soleil. L'homme évolue sur le plan de sa pensée basharique, c'est-à-dire indépendamment de l'influence de l'âme angélique. Autrefois, les hommes de notre civilisation étaient plus forts, et cérébralement moins développés, mais cela ne relève que d'un aspect corporel, qui n'a pas nécessairement de rapport avec l'âme.

VI

Le monde de l'âme

Pour comprendre la vie, nous devons savoir ce que signifie la mort. Toutes les religions ont parlé du monde d'après la mort, un monde où la matière ne règne plus, un monde où sont conduites les âmes des défunts, et où elles demeurent. Mais la plupart des représentants des religions n'en parlent que d'une façon abstraite et vague.

Toute créature sortie du néant se trouve dans un des trois mondes suivants : le *monde concret,* le *monde intermédiaire* (tous deux provisoires), et le *monde éternel.*

Le monde concret qui nous occupe ici est le nôtre, la terre. Bien qu'il existe beaucoup d'autres planètes habitées, elle constitue notre monde matériel, celui où nous vivons revêtus de notre corps physique, et celui où vivent aussi les créatures qui précèdent l'étape humaine : les êtres des règnes minéral, végétal et animal.

Le monde intermédiaire, ou *barzakh,* qui fait partie du monde spirituel, est toujours situé dans l'atmosphère environnante de chaque planète. Toute planète habitée comporte donc son propre monde intermédiaire. Ce monde est comme une réplique immatérielle, mais réelle, du monde concret. Bien qu'il soit meilleur que celui-ci, on peut dire qu'en raison de certaines similitudes il en est un prolongement. Les âmes y apparaissent avec la même forme que celle qu'elles avaient revêtue pour vivre leur vie terrestre, mais cette forme est devenue impalpable, comme un reflet de son aspect terrestre. Dans le monde intermédiaire, les sensations sont beaucoup plus vives, beaucoup plus aiguisées que dans le monde concret. Bonheur et chagrin y sont ressentis avec une bien plus grande acuité, et l'âme, en arrivant dans le monde intermédiaire, éprouve de ce fait une impression d'éveil intense.

Chaque fois qu'un individu meurt, son âme est obligatoirement amenée dans le monde intermédiaire, où tous ses actes et toutes ses pensées sont jugés. L'âme se trouve alors devant l'une des deux alternatives suivantes :

— ou elle n'a pas encore épuisé le délai de cinquante mille années dont elle dispose pour parvenir à son perfectionnement,

— ou elle a atteint la limite de ce délai.

Si l'âme se trouve dans le premier cas, elle reviendra sur terre en revêtant un corps nouveau, et poursuivra son chemin. Elle peut aussi passer par un purgatoire provisoire avant de revenir sur terre. Ou encore, si elle a acquis des mérites particuliers, il lui sera accordé la grâce de ne pas revenir ici-bas, et de continuer son perfectionnement dans le monde intermédiaire, où des conditions semblables à celles de la terre lui seront données mais où l'âme, étant plus éveillée que dans le monde concret, commettra moins de fautes et « travaillera » plus aisément. Il faut comprendre que c'est une très grande peine pour l'âme que de redescendre sur terre et de retraverser les différentes périodes de croissance et de déclin, de la naissance à la vieillesse.

L'âme peut également avoir accès au paradis du

monde intermédiaire. Ce paradis lui apparaît tel que celui auquel elle a aspiré toute sa vie, et qui fut son but religieux, selon l'image qu'on lui suggéra. Mais l'âme constate bientôt son erreur, et demande à retourner sur terre pour y continuer son travail spirituel.

Enfin, si l'âme a atteint sa perfection avant d'avoir épuisé le délai de cinquante mille années, elle passe un temps plus ou moins bref dans le monde intermédiaire, et s'en va dans le monde définitif, le monde éternel. Il en est de même pour l'âme qui atteint son perfectionnement à la limite du délai.

Quant à celle qui n'a pas réussi à se parfaire intégralement au cours des nombreuses vies terrestres que les cinquante mille ans lui ont permis de vivre, elle est envoyée aussi dans le monde définitif, car toute âme qui a épuisé le délai de cinquante mille ans, qu'elle ait ou non atteint la perfection, va dans le monde définitif et ne revient jamais plus sur terre ni dans le monde intermédiaire. Cependant les destinations n'y sont pas les mêmes pour toutes les âmes.

Le monde *définitif* ou *éternel* comprend trois « séjours » essentiels : le *monde des Parfaits,* le *paradis,* l'*enfer.* Chacun de ces séjours comporte un grand nombre égal de degrés, correspondant à la capacité respective des âmes, et à ce qu'elles ont mérité. Ce sont autant de niveaux de proximité ou d'éloignement de Dieu, donc de félicité ou de souffrance.

Dans le monde définitif, contrairement au monde provisoire (intermédiaire), les âmes n'ont plus de forme, ce qui ne les empêche pas de se reconnaître entre elles. Si une âme du monde des Parfaits veut se manifester pour remplir une mission dans le monde intermédiaire, elle doit prendre un visage ou une forme, conformément à la loi de ce monde.

Le *monde des Parfaits* est le plus proche de Dieu. C'est le plus élevé, le plus sublime de tous les mondes, auquel seules les âmes ayant atteint la Perfection absolue ont accès. Elles y jouissent, près de Dieu, d'un bonheur absolu, d'une liberté totale, de possibilités illimitées. Aucun mot ne peut donner même la plus petite idée du monde des Parfaits. Il est ineffable.

Le *paradis* éternel est un lieu de délices surpassant toutes les descriptions des prophètes, qui n'en ont d'ailleurs dépeint que les premiers degrés. Mais bien que l'on y soit extrêmement heureux, le paradis éternel est très éloigné, très différent, et très inférieur au monde des Parfaits. Pour tenter de donner une idée de cette différence, on peut comparer celui qui est dans le monde des Parfaits à un roi, possesseur de richesses inépuisables, et doté de pouvoirs sans bornes, et celui qui se trouve même au plus haut degré du paradis à un homme ordinaire.

Dans le monde des Parfaits, liberté et pouvoir sont absolus, alors que dans le paradis, quel que soit le degré qu'on y occupe, ils sont limités. Certes, l'âme y vit dans un grand bonheur, mais elle ressentira toujours un manque et un regret : le manque et le regret du monde des Parfaits. Le bonheur absolu n'est donc que le privilège des Parfaits, alors que le bonheur et la liberté des âmes établies dans les divers degrés du paradis sont relatifs. De même, les souffrances des âmes placées dans les différents niveaux de l'enfer sont proportionnelles à ces niveaux.

Un fruit qui s'arrête dans sa croissance est imparfait. Or, nous sommes semblables à des fruits, mais des fruits conscients. Il y a en nous le pouvoir de nous parfaire. Aussi, l'âme qui se sait imparfaite alors qu'elle avait la possibilité de se parfaire, éprouvera éternellement le manque et le regret, et ne se sentira jamais pleinement heureuse, même si elle séjourne au paradis éternel : le bonheur absolu ne réside que dans la Perfection, dans le monde des Parfaits.

L'*enfer* réserve aux âmes qui y tombent par le poids de leurs fautes des souffrances indicibles, auxquelles s'ajoute le déchirant et constant désespoir d'être irrémédiablement hors de la présence de Dieu. Les prophètes n'ont pu évoquer que les premiers niveaux de l'enfer, car les tourments infernaux dépassent l'imagination humaine. Toutes les descriptions de l'enfer et du paradis données par les prophètes et les saints sont vraies, mais ce n'en sont que des aspects particuliers et imagés. Le bonheur du paradis et les tortures de l'enfer ne peuvent être communiqués par les mots, et il est très difficile d'en donner une idée précise ; c'est pourquoi chaque prophète en a parlé selon le niveau de compréhension des hommes de son temps. Tout ce qui en a été dit n'est à la portée que de notre compréhension physique. En réalité, l'enfer comporte des degrés de souffrances, et le paradis des degrés de bonheurs tels que nous ne pouvons les concevoir tant que nous ne sommes pas libérés de notre corps.

Pendant la période de cinquante mille ans qui nous est impartie, chaque fois que le corps physique meurt, l'âme s'en va dans le monde intermédiaire. Elle y est jugée sur les actes et les pensées qui furent les siens au cours de sa vie dans le corps physique qu'elle vient de quitter. Lorsque les cinquante mille ans sont écoulés intervient le jugement définitif, le jugement dernier.

Lorsqu'une âme atteint sa perfection (avant le délai de cinquante mille ans ou à sa limite), elle occupe, selon sa capacité, l'un des degrés du monde des Parfaits.

Quant à l'âme imparfaite, et qui n'a maintenant

plus de recours, les actes et les pensées de ses vies sont mis dans la balance : si c'est le plateau des bonnes actions et pensées qui penche, l'âme s'en va dans le degré de paradis éternel qu'elle aura mérité. Si c'est l'autre plateau qui s'abaisse, l'âme sera envoyée dans l'un des degrés de l'enfer. Lorsque les deux plateaux de la balance s'équilibrent, la grâce de Dieu prévaut toujours : le premier degré (c'est-à-dire le degré inférieur) du paradis s'ouvre pour cette âme.

L'enfer dure « éternellement », mais Dieu, dans Sa miséricorde, peut atténuer le degré de douleur des âmes damnées. Il y aura même un temps, infiniment lointain, où ces âmes seront graciées. Elles seront alors dans la situation d'un soldat qui a trahi, qu'on a dégradé, condamné à mort, et finalement gracié et relâché, mais néanmoins banni pour l'éternité.

Ce problème de l'éternité est difficile à saisir pour nos facultés intellectuelles. Seul Dieu est éternel, immuable, invariable. Il ne détruit jamais quoi que ce soit, mais en dehors de Lui tout est sujet à variations et à transformations, et les âmes elles-mêmes changent d'état dans le monde éternel.

Dieu crée les âmes de façon continue, comme le soleil répand son rayonnement, et Sa création est une émanation de Sa volonté et de Sa grâce. Cependant, nous ne jouissons pleinement de cette grâce que si nous parvenons au but qu'Il nous a assigné, et pour lequel Il nous a donné l'existence.

Notre liberté est limitée, mais suffisante pour nous rendre entièrement responsables de notre destin spirituel : certains croient en Dieu et aux principes de la religion et pratiquent dans la mesure de leurs possibilités les ordres divins ; d'autres doutent ; d'autres ne veulent croire en rien.

L'homme doit considérer la vie terrestre comme une école dans laquelle il vient étudier et parcourir le plus rapidement possible les étapes du perfectionnement spirituel. Dès qu'il a passé l'étape exotérique dans une religion révélée, il a acquis l'aptitude spirituelle d'assimiler les enseignements ésotériques. Ainsi, chaque homme, au cours de ses vies successives, est mis en présence de milieux spirituels réels, authentiques et convaincants, afin de lui permettre de sauver son âme et d'atteindre le but pour lequel il a été créé. Ces situations spirituelles authentiques sont répétées autant de fois qu'il est nécessaire afin de le convaincre de l'existence du Dieu Unique, du monde éternel, de l'éternité de l'âme, ainsi que de la nécessité absolue de se soumettre aux lois divines qui le conduiront au salut et à la félicité éternelle.

Cette durée pendant laquelle chaque âme doit fréquenter les écoles terrestres s'appelle l'*etmâm ḥojjat*. Aucune âme ne comparaîtra au Jugement dernier sans avoir eu au préalable l'occasion d'acquérir la pleine connaissance des lois divines. Le jour du jugement, l'âme se souvient du moindre détail de toutes ses vies, de tout ce qu'elle a fait et pensé de bon et de mauvais. Elle est aussi son propre juge, c'est pourquoi elle accepte avec résignation la justice absolue de Dieu.

Ḥojjat signifie argument, raisonnement. L'*etmâm ḥojjat* est une raison rigoureuse, sans appel, ne laissant à personne la possibilité de protester. Les commandements de Dieu sont des *hojjat* pour les hommes, qu'ils veuillent en prendre connaissance ou non. Ils ne pourront pas dire, au jour du jugement dernier : « Si Tu nous avais envoyés Tes commandements, nous n'aurions pas commis de péchés. » Si Jésus-Christ n'était pas venu sur terre et n'avait pas annoncé aux hommes la parole divine, les chrétiens ne seraient pas responsables de leurs péchés. Le

Christ est venu sur terre nour annoncer le *ḥojjat* divin.

L'Islam est né avec Mohammad, qui apporta le *ḥojjat* divin sous la forme du Coran. Ses successeurs véritables interprétèrent le Coran et le mirent à la portée de tous afin de renouveler l'*etmâm ḥojjat* ; Zoroastre, Bouddha et Moïse avaient fait de même.

Les hommes faisant partie d'une des religions de ces prophètes, qu'ils croient ou non, qu'ils soient pratiquants ou non, sont considérés comme ayant reçu l'*etmâm ḥojjat*. Quant à ceux qui, pendant toute la durée de leur vie, n'ont pas entendu parler des religions révélées, l'occasion leur en sera donnée dans une autre vie. Car à chaque âme est imparti, pour se perfectionner, un même délai, pendant lequel, au cours de vies successives, elle est mise en contact avec les milieux et les croyances qui lui sont nécessaires. Nous contribuons donc, dans la mesure de notre libre arbitre, à la formation du milieu et des conditions de notre prochaine vie. Ce délai, de durée égale pour tous, est appelé délai de l'*etmâm ḥojjat*. A la fin de cette durée, il ne sera plus permis à l'âme de reprendre un « vêtement » terrestre. Le jour de son jugement dernier est arrivé, et selon ce qu'elle aura acquis, elle méritera le monde des Parfaits, le paradis définitif ou l'enfer.

Tous les hommes, sans exception, ont le devoir, dans la mesure de leurs facultés de compréhension et des possibilités qui leur sont offertes par le milieu, de chercher à connaître les commandements divins et de les mettre en pratique. Aucun appel et aucune excuse ne sont acceptés, et chacun est reconnu responsable, proportionnellement à ses aptitudes et ses possibilités. De plus, les âmes sont jugées selon les lois divines, et non selon les lois imaginées par les hommes, même si ces lois sont acceptées et très répandues par un grand nombre d'individus.

VII

Le savoir divin

Dieu a créé l'univers pour répandre Sa grâce. La Clémence et la Bonté dominent tous Ses innombrables attributs. Lorsqu'Il crée des êtres, quel que soit leur degré, Il n'agit pas par besoin ou par nécessité, mais uniquement par miséricorde. Les créatures étaient dans le néant, hors de l'existence, et Dieu leur a donné l'existence.

Pour les créatures, l'existence est une source intarissable de bonheur. Même un ver de terre sait qu'il existe, et le simple fait de se sentir exister le rend pleinement heureux. Comme tout être de la création, il vit dans une euphorie constante et se sent supérieur à toutes les autres créatures. Cette sensation est générale pour tous les êtres jusqu'à l'homme, et ne les quitte jamais.

Mais le cas de l'homme est différent : il possède une âme angélique qui lui donne la pensée, la volonté et la potentialité d'arriver à jouir pleinement, non seulement de son existence, mais aussi de tous les biens que Dieu lui a accordés.

Il nous a donné l'existence pour que nous connaissions et comprenions tout ce qu'Il a créé dans l'univers, et nous ne pouvons être heureux que si nous sentons et comprenons tout ce qui existe. Cette connaissance est avant tout une connaissance de l'âme, et pour l'obtenir il faut perfectionner cette âme. Plus on avance dans cette voie, plus la compréhension est vaste, et plus on comprend, plus on est heureux. La félicité absolue est la conséquence du savoir absolu, et le savoir absolu dépend de la perfection de l'âme.

Les connaissances qui nous guident vers le bonheur éternel sont acquises définitivement et éternellement, puisque ce sont des connaissances de l'âme, et que l'âme est éternelle. Nous laissons après la mort tous les savoirs ou sciences qui nous servent dans le monde matériel mais si nous comprenons comment parcourir les étapes du perfectionnement, nous avons acquis un savoir éternel. Savoir qui nous a créés, pourquoi nous sommes créés, que faire dans ce monde et ce que nous devenons après la mort, tel est le problème essentiel.

Il faut bien comprendre que si on possède la science spirituelle, on connaît implicitement toutes les sciences matérielles. Mais le savoir véritable est celui qui mène à la connaissance de Dieu.

Dieu nous a fait la grâce de nous créer, de nous donner l'existence, et la seule existence est une cause de bonheur pour toutes les créatures inférieures à l'homme ; quant à l'homme, il a reçu en plus la faculté d'arriver à comprendre la création, à condition de se perfectionner. Cette possibilité de perfection est le plus grand des bienfaits, car le bonheur parfait ne peut être ressenti que par un être parfait. Dieu nous a fait la grâce de nous créer purs, mais nous devons acquérir la Perfection par nous-mêmes. Il nous accorde Ses bienfaits graduellement, et nous devons faire un effort pour les obtenir. Si cette grâce nous était donnée d'office, cela n'aurait plus de sens : si nous n'avions pas de la peine à gagner quelque chose par nous-mêmes, nous ne pourrions jamais jouir pleinement du résultat, ni le comprendre vraiment. Si, par exemple, dans une école, tous les élèves obtenaient leur diplôme par leur simple présence, cela n'aurait aucune valeur, aucun sens, aucun goût ; et ils n'éprouveraient pas de joie à le recevoir. On ne peut se perfectionner que s'il y a lutte, s'il y a contradiction. On n'est parfait que lorsqu'on a parcouru et compris tout ce qu'il y a dans la création. On ne peut être près de Dieu si l'on ignore le malheur, le péché, si l'on ne « sent » pas et ne comprend pas les créatures, et pour les comprendre, il faut avoir été en contact direct avec elles. Par exemple, un enfant né d'une famille riche, et qui n'a jamais connu la faim, la pauvreté, la misère, s'il grandit et meurt dans l'opulence, peut-il vraiment profiter de sa richesse, comprendre ce que c'est ? Non, car on ne peut jouir de la richesse que si l'on a connu la pauvreté. Nous devons donc lutter pour connaître et pour apprécier ce que nous avons obtenu, et cela est vrai pour toutes choses. C'est pourquoi le chemin de la Perfection est long et difficile, mais très agréable pour celui qui a compris le but et le moyen d'y accéder.

Etre un homme parfait, c'est par conséquent connaître tout l'univers. Or, Dieu a reproduit en nous tout l'univers. L'homme est comme un univers en miniature : toutes les forces de la création sont en lui. L'âme angélique envahit l'homme comme Dieu envahit l'univers. Il suffit donc de se connaître pour connaître l'univers, et en se connaissant soi-même on connaît Dieu.

VIII

L'âme et le corps

En chacun de nous coexistent deux forces opposées : une force de l'animal-humain par laquelle s'exprime l'âme basharique, le « soi impérieux », *(nafs-e-ammâre,* ou *nafs)* et une force angélique par laquelle s'exprime l'âme proprement dite. Les forces du soi impérieux et de l'âme angélique sont les deux pôles négatif et positif en chacun de nous. Sans le contact, sans la friction entre la pierre et le fer, l'étincelle ne jaillit pas ; sans l'association des contraires, on n'obtient aucun résultat ; sans l'obscurité, on ne comprend pas la lumière. Dépourvu d'âme, le corps n'a qu'une existence animale, n'est d'aucune utilité, et sans le corps, l'âme ne peut se perfectionner, car chaque monde a ses propres lois : dans le monde matériel, l'âme a besoin d'un intermédiaire entre elle et le monde sensible, d'un habit matériel pour s'exprimer et pour progresser.

Ces deux forces sont faciles à déceler : lorsqu'on fait le mal, on éprouve un sentiment de honte, de reproche, et inversement, lorsqu'on fait le bien, on éprouve une joie intérieure. Ce sont les effets de l'âme angélique. L'âme angélique communique avec nous de trois façons : par la conscience *(nafs-e-lavvâme),* par l'intuition *(nafs-e-molheme),* et par la certitude d'avoir bien agi *(nafs-e-motma'enne).* Par exemple, si on a commis un acte mauvais, on ressent une sorte de remords ; c'est la voix de la conscience. Si on a le sentiment qu'il faut agir de telle façon pour faire le bien, c'est l'intuition. Enfin, lorsqu'on a fait une bonne chose, on ressent une joie intérieure qui nous confirme la bonté de cet acte, c'est la certitude que l'on a bien agi.

L'âme basharique pousse l'homme à manger, à s'accoupler, à se mettre en colère, à prendre le meilleur pour lui, à ne pas tenir compte d'autrui, etc. Tous les caractères de l'animal se retrouvent en l'homme, car, du point de vue de ses désirs, l'homme n'est pas différent de lui. La distinction réelle entre l'homme et la bête réside dans l'âme angélique.

La volonté et l'intelligence peuvent être au service du soi impérieux ou de l'âme angélique, car ces deux forces luttent continuellement en nous. Si on laisse le soi impérieux dominer, il prendra l'intelligence et la volonté à son service, et alors on finira par agir comme une bête intelligente et dangereuse, par faire sans remords tout ce qui est interdit par les prophètes, et par nier tout ce qui se rapporte à Dieu. Les deux moyens utilisés par le *nafs* pour nous éloigner de Dieu sont l'orgueil et le doute. Au contraire, si l'âme angélique domine le *nafs,* on se comporte comme un homme dans toute sa dignité, ayant la foi, charitable, généreux, se mettant toujours à la place d'autrui, ne jugeant personne, sachant pardonner, modeste, etc.

Nous sommes comme emprisonnés dans les ténèbres d'une cellule qui n'aurait qu'une fenêtre s'ouvrant sur l'extérieur. Comme les moutons dans la bergerie, l'âme animale désire rester dans l'obscurité où elle satisfait tous ses instincts, alors que l'âme angélique aspire à quitter cette prison qu'est le corps, et à voir la lumière. Si l'âme animale domine, on passe sa vie dans l'obscurité, satisfaits et ignorants, ne s'occupant que de soi et n'adorant que soi-même, sans jamais voir ce qui se passe au-dehors, ni ce qui nous attend. Si par contre on est guidé par l'âme angélique, on ouvre la fenêtre, on essaye de comprendre ce qui se passe et on cherche le moyen de s'évader de cette cellule.

Il importe d'avoir le soi impérieux, l'âme basharique, sous le contrôle absolu de l'âme angélique, mais il est faux de croire qu'il faille l'étouffer. Le soi impérieux est comme un poison : curatif et indispensable à petite dose, mais toxique si on en abuse. Certains yogis, fakirs ou ascètes rendent leur âme basharique très faible par des jeûnes et des mortifications excessives, comme on laisserait un cheval mourir de faim, si bien qu'il n'a même plus la force de marcher et de porter son maître. Cela ne sert absolument à rien. Le corps est une monture pour l'âme ; si on le rend malade, on ne peut plus avancer sur le chemin et on s'arrête. Mais, d'autre part, si on a une monture rétive qui va où elle veut et qu'on ne peut maîtriser, l'âme perd le contrôle et n'avance plus. Il faut une monture à la fois forte et docile pour parcourir le chemin du perfectionnement. La volonté et l'intelligence mises au service de l'âme angélique doivent tenir compte de l'état du corps ou de l'âme basharique, et lui fournir le nécessaire pour qu'il accomplisse son rôle.

Ce que la religion des prophètes n'a pas interdit, on peut le concéder au soi impérieux, à la condition de rester dans le juste milieu, car la perfection en chaque chose est l'équilibre. Or, il faut toujours conserver l'équilibre entre l'âme angélique et l'âme basharique. Si le corps n'éprouve pas un besoin incoercible de certaines choses, il peut s'en passer facilement. Mais s'il subsiste un impérieux besoin vital, il est néfaste de vouloir l'étouffer.

La relation entre l'âme et le corps

L'Essence divine est comparable à un influx qui imprègne toute la création : son étendue est sans limite et sa perfection absolue.

L'âme angélique est éternellement centrée sur un point d'origine divine. C'est à partir de ce point primordial que l'âme s'étend en rapport avec son degré de perfectionnement.

L'âme n'est pas emprisonnée dans le corps, et son expansion n'est pas limitée par le corps ; elle est seulement reliée à lui et se développe dans un espace spirituel plus ou moins vaste selon sa capacité. Tout en étant fixée à son point d'origine elle communique aussi avec le corps, et lui donne la vie, comme un aimant communique sa force magnétique à un morceau de fer. L'âme donne à l'homme tout ce qui le distingue de l'animal, notamment la conscience, cette haute faculté de discernement qui ordonne les pensées et toutes les impressions. Le corps est seulement le champ d'expérience d'une parcelle de l'âme, et nous n'avons conscience de l'étendue de notre âme que lorsque nous approchons de la Perfection. Grâce à sa relation constante avec son point d'origine divine, l'âme peut par exemple fréquenter les prophètes, ou évoluer dans plusieurs ciels sans que nous en ayons conscience.

L'âme, dans son état originel, est absolument pure, et cette pureté est la base indispensable au travail de perfectionnement. Si l'on compare la divinité à un océan sans limite, l'âme est alors une étendue d'eau pure, d'eau distillée plus ou moins vaste. Elle n'a pas la composition de l'océan divin, mais il lui est donné la possibilité d'acquérir, par ses séjours dans les vies humaines successives, les qualités de l'océan. Ces qualités existent en excès dans le corps humain, qui est saturé des attributs de l'âme animale, et le travail de perfectionnement consiste à les faire passer, à la dose voulue, dans la mer de l'âme, afin de lui conférer une nature identique à celle de l'océan divin. C'est alors que l'âme devient vraiment une goutte d'eau de cet océan, et rejoint Dieu.

Tout se passe comme si l'on établissait une osmose entre le corps et l'âme, séparés par une membrane perméable : le corps est le réceptacle du moi impérieux et d'une parcelle de l'âme ; la mer de l'âme communique avec le petit réceptacle et le maintient en vie ; en contrepartie, l'âme trouve dans le corps les éléments qui lui manquent. L'âme basharique est composée de substances concentrées et obscures qui, en se dissolvant dans la mer de l'âme en proportions exactes, la transmuent en parcelle de l'océan divin.

Ces substances sont les instincts naturels, les pulsions du moi impérieux, et aussi toutes nos pensées, impressions et sensations. En quantité trop forte, elles obscurcissent et polluent l'âme ; à la dose juste, sans en altérer la transparence, elles lui confèrent sa nature parfaite.

Les qualités et les instincts propres à l'homme sont des créations de Dieu ; ils sont donc bons en soi, à condition qu'on les utilise à bon escient. L'état parfait d'une qualité réside dans sa juste mesure. Par exemple, la dignité est une vertu nécessaire à l'âme : en excès, elle dégénère en orgueil, mais en quantité insuffisante elle signifie bassesse et mépris de soi ; de même, entre l'instinct d'agression et la passivité totale, il y a une qualité indispensable à la préservation de soi-même.

Quand l'équilibre est atteint, toutes les substances

en excès se déposent, se décantent, et l'homme peut alors contempler la totalité de son âme, jusqu'à son centre d'origine divine. Lui-même devient transparent comme son âme, et sa vision du monde spirituel ne dépend alors que de sa capacité. Au contraire, quand toutes les substances sont en agitation en lui, leur opacité lui cache son âme, et il ne sait ni ce qu'il est, ni ce qu'il doit faire, ni pourquoi il existe.

Lorsque l'âme est parvenue à acquérir toutes les substances nécessaires, dans la mesure exacte, elle n'a plus besoin d'être mise en communication avec un corps humain. Devenue parfaite, elle possède les qualités de l'océan divin et se perd en lui.

Le travail de perfectionnement peut être comparé au fonctionnement d'une membrane osmotique sélective, qui laisse passer les substances d'origine corporelle, basharique, dans l'âme, et vice versa. Lorsque l'un des attributs de l'âme animale atteint un certain seuil, il pénètre automatiquement en excès dans l'âme angélique, qu'il impressionne négativement. Il nous est possible d'agir nous-mêmes sur la sélectivité de cette membrane par la volonté et par la foi, mais le réglage de ce processus est si délicat, qu'il requiert l'aide et le contrôle direct et continuel d'un maître spirituel, qui connaisse les substances et les doses nécessaires à chacun. Un tel maître nous éduque et nous indique les points sur lesquels porter notre attention. Sans l'aide directe d'un maître, le fonctionnement de la membrane est automatique, et, sauf des cas exceptionnels, échappe entièrement à notre contrôle : il est sous la dépendance de l'âme basharique.

L'âme se développe à partir de son centre divin, comme le rayonnement du soleil. Une partie de ce rayonnement pénètre le corps, telle la clarté dans l'atmosphère.

IX

Les différentes capacités des âmes

A l'origine, nos âmes sont toutes créées dans des conditions semblables et envoyées dans les classes spirituelles terrestres de perfectionnement, où enseignent les prophètes et les saints. On peut comparer les religions à des écoles différentes qui, à la fin, délivrent le même diplôme. Certains travaillent bien, progressent, franchissent les étapes, alors que d'autres ne pensent qu'à se divertir.

Chacun a exactement les mêmes possibilités d'arriver au but, mais les âmes n'ont pas toutes la même capacité. Si on les compare à des vases, certaines ont la capacité d'une goutte d'eau, d'autres d'un litre, d'autres de dix mètres cubes ; certaines âmes enfin peuvent contenir une mer. Ces rapports ne sont pas exagérés et correspondent vraiment à des réalités spirituelles. On atteint la Perfection lorsque, comme un vase, on est rempli au point de ne pouvoir absolument rien contenir de plus. Pourtant, il est encore possible à certaines âmes de petite capacité d'augmenter cette capacité.

En effet, il ne serait pas juste que certaines âmes soient plus aptes que d'autres à s'approcher de Dieu en raison de leur grande capacité, c'est pourquoi Dieu, dans Sa justice, a contrebalancé le poids de l'âme angélique par le poids de l'âme basharique, du *nafs*. Donc, au départ, pour tous, la potentialité du soi impérieux est proportionnelle à la capacité spirituelle de l'âme angélique et, en conséquence, la lutte à accomplir est égale. A une âme de force minime il n'est pas demandé beaucoup, mais pour des êtres comme les prophètes ou les saints, le poids du *nafs* est considérable, du moins dans les premières étapes, car plus on se perfectionne, plus l'âme angélique domine.

Lorsqu'une âme est parfaite, elle a acquis la plénitude, elle ne demande plus rien, et on ne peut lui donner davantage. Quelles qu'elles soient, les âmes parfaites ressentent le même état de plénitude, de bonheur absolu, et n'aspirent à rien de plus qu'à leur condition ; la plus petite d'entre elles domine tous les êtres de la création qui sont au paradis, en enfer ou ailleurs. Qu'elle soit goutte d'eau ou mer, elle a la même qualité, car elle est une parcelle de l'océan de Dieu.

X

Le diable et le mal

L'essence de Dieu est telle que le mal n'a pas place en Lui. Dieu est justice absolue et bonté absolue, et Il ne crée rien de mauvais.

Celui qu'on appelle le diable n'a en réalité aucune action maléfique ; son nom « Satan » signifie : celui qui s'est révolté et a été chassé par le Dieu créateur unique. Ceux qui ont connaissance du monde spirituel savent qu'il existe une loi concernant les créatures chassées par Dieu : elles sont immédiatement prisonnières dans un endroit défini et très limité, elles perdent tout pouvoir et ne possèdent aucune liberté. Faute de connaître cette loi fondamentale, un grand nombre de personnes attribuent toutes les mauvaises choses à un être invisible et omniprésent, nommé diable ou Satan. Sans le savoir, elles croient à un dieu du mal opposé au Dieu unique, ce qui est une façon de blasphémer Dieu, de retomber dans le polythéisme malgré tous les efforts des prophètes et des saints.

La croyance au diable soulève en outre un grand nombre de questions angoissantes, qui restent sans réponses, ou suscitent au sein des religions des contradictions et des divergences nouvelles, exploitées par les opportunistes et les charlatans.

L'origine de l'idée du diable est une réalité intérieure présente en chacun de nous, et il ne faut pas croire que le malheureux Satan y soit pour quelque chose. L'idée de diable n'est autre que l'écho de la lutte entre l'âme charnelle et l'âme angélique. Le mal n'existe qu'en nous-mêmes, et n'a d'autre existence que par nous-mêmes. De plus, chaque chose dans l'univers a une place et une fonction définies, et ce qui nous semble mauvais est le plus souvent une affaire de conventions, une conséquence de nos erreurs ou de nos sens limités, incapables de discerner les vraies causes et les vraies conséquences des événements.

Le mal n'existe pas dans la nature, en dehors de l'homme, et il n'a d'autre cause que cette force animale qui réside en chacun et qui nous suggère certains actes. Ce qu'on appelle le diable est simplement la façon dont s'expriment le soi impérieux, l'âme basharique, porteuse des instincts animaux. Ce n'est pas le diable qui pousse le loup à manger les brebis, c'est l'instinct animal naturel ; de même, lorsqu'un homme éprouve des envies, c'est cet instinct qui se manifeste. La différence est que l'âme angélique doit tempérer le désir du soi impérieux, car nous ne sommes pas créés pour vivre comme des animaux. Pour perfectionner cette âme angélique, nous ne devons obéir qu'à elle seule et freiner les excès de l'âme basharique, sans toutefois l'opprimer, car en soi elle n'est pas mauvaise ou néfaste, mais au contraire utile à l'âme angélique, qui sans elle ne peut se perfectionner.

L'âme angélique parcourt des étapes, change de vêtements, et au cours de ses vies successives elle peut s'affaiblir progressivement, devenir esclave impuissante de son âme charnelle, de son désir animal. On ne doit donc pas dire de quelqu'un qu'il est mauvais, mais tout au plus qu'il commet des actions mauvaises. Il faut se garder de juger les gens, car s'il n'y avait pas quelque chose de Dieu dans chaque créature, elle retournerait immédiatement au néant. Et comme chaque créature renferme une parcelle divine, on ne peut dire qu'elle est mauvaise sans blasphémer le Créateur.

S'il y a des choses mauvaises, ce n'est pas parce qu'elles ont été créées ainsi ; ce sont des accidents causés par une suite de complications. Si une personne commet de mauvais actes, cela ne veut pas dire qu'elle a été créée mauvaise, mais c'est à la suite de complications dont elle est responsable qu'elle agit mal. Une âme qui au cours de ses vies successives commet beaucoup de péchés, finit par perdre peu à peu sa pureté première ; elle se dénature et devient ténébreuse. Si Judas a trahi Jésus-Christ, si Yazid a fait tuer Hosein [1], ce n'est pas que leur âme ait été ténébreuse dès l'origine.

Lorsqu'un homme est en bonne santé puis tombe malade à cause de sa négligence, il s'agit d'une complication acquise. Il en est de même pour l'âme. Personne ne peut prétendre qu'au moment d'accomplir un mauvais acte il n'ait pas entendu une voix intérieure, celle du *nafs-e lavvâme,* lui dire : « Ce que tu fais n'est pas bien. » Si malgré cela il passe outre, il s'expose à des complications dont il est responsable dans les deux mondes.

Il faut comprendre que le diable n'a aucune existence ; seule existe l'âme charnelle, le *nafs* qui nous ordonne de ne faire que son bon plaisir.

Les hommes croient souvent que tout ce qu'ils voient de mauvais en eux et dans le monde est l'œuvre des forces du mal dirigées par Satan. On a donné tant d'importance à ces chimères qu'on a fait du diable un rival de Dieu, un dieu du mal qui suggère des idées et des actes diaboliques, et qui s'oppose à un dieu du bien. Si l'on constate que la

1. Troisième Imâm shi'ite.

majorité des gens ne se soucie guère de Dieu et vit sous l'emprise du « diable », devra-t-on en conclure que la puissance du « diable » l'emporte sur celle du Dieu des croyants ? Cela voudrait dire que Dieu aurait créé une force égale ou supérieure à Lui, ce qui est absurde. Certains esprits égarés vont jusqu'à dire : « Puisque Dieu est de toute façon bon et miséricordieux, nul besoin de s'en occuper, mais puisque tous nos maux viennent du diable ou du dieu du mal, attirons-nous ses faveurs. » Ainsi ils adorent le diable.

En vérité, les livres saints nous ont rapporté l'histoire du diable : avant l'homme, la terre était peuplée de « djins » ou de « génies ». Or, il arriva que leur conduite devint mauvaise ; ils s'égarèrent, et Dieu envoya des anges pour les exterminer. Ces anges trouvèrent sur la terre un enfant djin que Dieu leur permit d'épargner ; son nom était Azâzil. Il grandit au ciel et progressa. Bien que, par nature, il fût inférieur aux anges, il accéda par sa dévotion à une condition supérieure. Il devint le chef d'un groupe d'anges, et fut le guide des djins survivants, qui se multiplièrent à nouveau sur terre jusqu'au jour de la création d'Adam. Lorsque Dieu créa Adam, Il lui souffla Son expir, et lui enseigna la connaissance des noms divins, c'est-à-dire les lois de la voie de la Perfection, que même les anges ignoraient. Puis Il ordonna aux anges de se prosterner devant Adam, non pas Adam en tant qu'homme, mais en tant qu'émanation de l'expir divin. Adam était fait de limon noir et malodorant, alors que les anges sont faits d'« air », et les génies de « feu », et c'est pourquoi Azâzil refusa de se prosterner, car dans son aveuglement et dans son orgueil il ne vit pas l'expir divin dont Adam était animé. Il se crut supérieur à l'homme et désobéit ; aussi fut-il chassé de la proximité de Dieu, d'où son nom Satan, le « rebelle » ou

Iblis, « le repoussé ». L'histoire de Satan est terminée depuis bien longtemps ; elle ne concerne que Dieu et lui, et il n'y a pas lieu de s'en préoccuper davantage. Encore une fois, il faut bien comprendre qu'une âme bannie est comme prisonnière, et ne peut en aucun cas avoir un pouvoir quelconque sur un autre être. De même, les âmes coupables ne peuvent pas nous influencer, car elles n'ont aucune liberté d'action.

Lorsqu'il arrive que des êtres tourmentent une âme, il ne s'agit pas du tout de créatures démoniaques ou mauvaises en elles-mêmes. Au contraire, ce sont des êtres qui ont eu pour mission de faire souffrir ; le simple fait qu'elles aient eu une mission signifie qu'elles sont assez proches de Dieu, et donc qu'elles n'agissent que par devoir, et non parce qu'elles sont méchantes de nature. Certains de ces êtres sont des créatures d'un très haut rang spirituel, comme par exemple l'ange qui a pour mission d'ôter la vie aux hommes et de leur arracher l'âme.

بسم الله الرحمن الرحیم

در خود فرو رو تا خدا یابی

چون خدا یابی هر چه خواهی یابی

الهی امید است نور علی را دریابی — لا اله الا

انت سبحانک انی کنت من الظالمین — ۱۶/۲/۱۳۵۱

Au nom de Dieu clément et miséricordieux
Pénètre en toi-même jusqu'à ce que tu trouves Dieu
En trouvant Dieu tu trouveras tout
Mon Dieu, il est espéré que tu penses à Nur 'Ali.

Paroles et écritures par Maître Elâhi lui-même.

DEUXIÈME PARTIE

XI

Prédestination et liberté

Le problème de la prédestination et du libre arbitre est impossible à résoudre totalement avec nos moyens limités. Ceux qui croient à la prédestination absolue prétendent qu'entre deux instants de la vie ils n'ont parcouru qu'un chemin et un seul, et que ce chemin était donc prédestiné. Ils croient par conséquent que tout est prévu d'avance et s'abandonnent à la fatalité. Leur idée est absolument erronée, car on a toujours le choix entre plusieurs chemins. La prédestination absolue pour tous correspond à un problème mal posé : comment pourrait-il y avoir une justice divine sans un certain libre arbitre ? S'il en était ainsi, l'existence du paradis, de l'enfer et du monde des Parfaits annoncés par les prophètes n'aurait plus de sens. De plus, la question de la souffrance des « innocents » est insoluble pour les déterministes, et ne s'explique que par la loi des vies successives, du libre arbitre et de la responsabilité.

Dieu crée les âmes volontairement et continuellement comme une source intarissable. Les êtres doivent parcourir un long chemin pour parvenir à leur propre but qui est la Perfection. Pour notre planète, la première partie du chemin, jusqu'à l'homme, s'effectue automatiquement et d'une façon prédestinée. Mais le perfectionnement de l'être humain n'est plus prédestiné, et ne dépend que de l'effort individuel. La justice divine exige qu'un déterminisme absolu règne dans le parcours qui va de l'âme minérale jusqu'à l'âme basharique, car à ce niveau les êtres n'ont pas le pouvoir d'agir sur leur destin, ni de distinguer le bien du mal. Mais notre âme angélique, émanant du Souffle divin, a reçu l'aptitude de penser, de réfléchir, de créer, de différencier, de vouloir, etc. Tous ces pouvoirs existent à l'état absolu en Dieu. La volonté implique le choix, et le choix détermine le destin. Comme nous avons ce pouvoir de réfléchir, de créer, de nous élever, de faire dans une certaine mesure ce que nous voulons, Dieu exige de nous que nous rendions compte de nos intentions, de nos actes et de nos pensées.

Ceux qui croient à la liberté et à la volonté absolues s'estiment capables de déterminer totalement leur destin par leur propre volonté, laissant de côté la volonté divine, et leur erreur est de croire que celle-ci n'intervient jamais. Ils prétendent que seule intervient leur propre volonté, et ce qui échappe à leur connaissance et à leur contrôle, au lieu d'y voir la marque de Dieu, ils l'appellent hasard.

Or, il faut dire une fois pour toutes que le *hasard n'existe pas*. Le moindre petit événement de l'univers a eu d'innombrables causes préliminaires, et c'est parce que nous sommes incapables de comprendre toutes ces causes que nous éludons la question en invoquant le hasard. La vérité est bien plus subtile, et pour la saisir il faut comprendre les étapes du perfectionnement. Dieu crée toutes les âmes humaines et les envoie dans l'école terrestre, libres d'accéder ou de ne pas accéder à leur propre perfection.

La notion de libre arbitre absolu est fausse, et l'on s'en rend compte facilement, dans la mesure où ce que l'on obtient dans les limites du libre arbitre n'est pas toujours ce que l'on avait prévu. La prédestination absolue n'existe pas non plus pour les raisons citées plus haut. On doit donc rejeter la doctrine du libre arbitre comme celle de la prédestination absolue, car la vérité se situe entre les deux : l'homme doit agir dans la mesure de ses possibilités ; il ne possède qu'une certaine liberté, proportionnelle à sa compréhension spirituelle.

La justice et l'égalité parfaites règnent sur toutes les âmes, et au début de l'école terrestre aucune n'est favorisée ou défavorisée pour parcourir la voie. Certains pensent à tort que s'il est possible à une âme de faire le bien, et à une autre de tomber dans l'erreur, c'est que la volonté de Dieu a joué en faveur de l'une et au détriment de l'autre. En d'autres termes, on croit souvent qu'il y a une prédestination plus ou moins définie pour chaque âme. Or, il n'en est rien.

Dieu a le pouvoir de savoir ce que fait et ce que fera chaque homme, mais Il ne l'utilise pas. Il a conçu l'univers selon la justice et l'égalité absolues : chacun aura ce qu'il a mérité, et aucun être ne sera lésé.

Une question se pose : Dieu est bon et juste, et comment peut-Il alors laisser agir une personne qu'Il voit s'engager sur la mauvaise pente ? Il y a là une nuance difficile à saisir. Bien que Dieu envahisse toute Sa création, Sa volonté ne se pose pas sur le devoir de chacun, sinon Il le prédestinerait nécessairement, car chaque chose existante est sortie du néant grâce à la pensée de Dieu, et chaque pensée de Dieu est telle que cette pensée prend fatalement existence.

Or, à chaque instant de la vie, nous sommes confrontés à divers problèmes, et un choix s'impose : nous arrivons à un carrefour, et nous devons choisir une route parmi celles qui se présentent. C'est sur ce moment du choix que Dieu ne veut pas intervenir directement, bien que les prophètes, les saints, et en particulier les maîtres véridiques nous apportent leur secours à ce moment précis. Dès que l'homme s'engage sur la voie choisie par lui-même, Dieu sait exactement ce qu'il y a au bout, et il ne nous est plus possible d'échapper à cette fraction de voie préétablie, avant le moment où l'on arrive à un autre carrefour, et ainsi de suite. Le chemin parcouru par chacun durant sa vie ou la durée de son perfectionnement est composé de ces innombrables petites fractions de voie. Notons que le cas de certains prophètes ou saints fait exception : leur existence nous paraît prédestinée, mais il ne s'agit pas d'une prédestination de création ; c'est une chose qu'ils ont acquise. Celui qui a dominé complètement son *nafs* arrive à l'étape de la prédestination totale (ou presque). Mais lorsqu'il atteint le but suprême, il se trouve alors dans l'état de libre arbitre absolu. Il a rejoint Dieu, et jouit donc de l'attribut divin de liberté.

Le sort de l'homme se joue entre la prédestination et le libre arbitre, mais sa destination ultime, au-delà de la prédestination totale, est la liberté absolue. Tout au long des cinquante mille ans du cycle de perfectionnement, l'âme a la possibilité de connaître tous les milieux de l'école terrestre, et a des milliers d'occasions de progresser jusqu'au but final. Si beaucoup ne parviennent pas au but, c'est parce qu'ils ont laissé échapper d'innombrables occasions, et commis d'innombrables erreurs de choix.

XII

Prédestination variable et prédestination invariable

Chaque fois qu'une âme revêt un habit humain, il lui est attribué deux tables sur lesquelles sont gravées les grandes lignes de son destin, depuis la naissance jusqu'à la mort. La première table est la table invariable, ou Table Gardée. Nul n'a le pouvoir d'intervenir sur ce qui y est écrit ; Dieu seul connaît son contenu et ne le modifie jamais. La Table Gardée est irrévocablement définitive.

L'autre table est la Table Variable. Les saints ou les prophètes peuvent en connaître la teneur, et tous ceux qui prédisent l'avenir par des techniques diverses ne peuvent savoir que ce qui est inscrit sur cette table. On l'appelle Table Variable, parce que notre volonté et notre choix peuvent changer son contenu.

Dieu révèle parfois des fragments de la Table Gardée à certains êtres de rang très élevé, mais ce contenu ne peut être modifié ; quoi qu'on fasse, la volonté divine s'accomplira. Pour certains, le jour de leur mort est fixé sur cette table, si bien que, même s'ils essaient de se tuer, ils ne mourront pas avant le terme fixé. Des événements concernant un groupe d'individus, ou même une partie de l'humanité, peuvent être écrits sur la Table Gardée (et éventuellement révélés à certains), et d'autres peuvent l'être sur la Table Variable ; ces derniers sont prévisibles, mais jamais de façon certaine, car Dieu peut toujours les modifier.

Dieu n'écrit que certaines choses sur la Table Gardée, et la plus grande partie de notre destin est notée sur la seconde table ; c'est sur cette Table Variable que nous pouvons agir, selon que nous nous comportons bien ou mal. Par exemple, s'il est écrit qu'à tel moment précis nous devons souffrir physiquement ou moralement, l'événement sera atténué ou modifié en fonction de nos actes. Si nous avons eu le choix entre notre plaisir et le bien des autres, et que nous avons choisi d'agir selon les lois spirituelles, notre peine sera allégée.

Il arrive que des morts accidentelles prévues dans une prédestination variable nous soient annoncées à l'avance par un rêve, une vision ou un pressentiment. Ces catastrophes peuvent être évitées, atténuées, à condition de demander le secours divin par l'intermédiaire de son prophète ou de son maître. Pour obtenir une aide spirituelle ou matérielle, il faut faire des offrandes (ou des sacrifices) selon le processus suivant : l'offrande se fait toujours au nom de Dieu, et le bénéfice en revient à un intercesseur (saint ou prophète) qui, lui, le transmet à la personne concernée. Par exemple, si un chrétien voit en rêve un de ses proches avoir un accident grave, il fait une offrande à Dieu, en demandant au Christ d'intercéder auprès de Lui en faveur de ce parent. On peut ainsi effacer une prédestination variable, ou tout au moins l'atténuer.

Pour savoir quelle doit être la valeur de l'offrande, il faut interroger son cœur : si l'offrande est insuffisante, il persistera une certaine angoisse ; on augmentera alors la valeur de l'offrande jusqu'à ce qu'on ait l'impression d'avoir fait ce qu'il fallait, et qu'on se sente un peu rassuré.

En agissant ainsi, on est absolument sûr d'obtenir un résultat positif. Dans le cas contraire, c'est qu'il s'agit d'une prédestination inscrite sur la Table Gardée. Nul n'a le pouvoir d'intervenir sur cette Table.

Presque tout le destin d'un homme ordinaire est inscrit sur la Table Variable. Ce qui est inscrit sur la Table Gardée est la conséquence de certains actes importants de notre vie passée, qui exigent une punition ou une récompense particulières. Mais sur la Table des âmes encore peu perfectionnées, il ne figure que très peu de choses. Plus on s'approche de la Perfection, plus les choses écrites sur la Table Gardée sont nombreuses, et rares celles qui le sont sur la Table Variable. En effet, plus on s'approche de Dieu, et moins intervient la volonté personnelle ; si l'on a abdiqué sa volonté devant Dieu, on ne peut plus choisir, et l'on devient ce que Dieu veut, et ce qu'on fait est la volonté de Dieu. On est complètement prédestiné. Ainsi, dès sa naissance, tout le destin de Jésus-Christ était écrit sur la Table Gardée, et il n'avait aucun pouvoir ni aucun désir de changer quoi que ce soit.

Dieu n'intervient que pour les monothéistes sincères ; pour les autres, la volonté divine n'entre pas en jeu dans tout ce qu'ils font. Plus le poids des péchés est lourd, plus Dieu laisse à l'homme de liberté d'action ; Il finit par ne plus intervenir en rien dans la destinée de Sa créature et la laisse se prendre dans un redoutable engrenage. Dieu n'a nul besoin de nous, mais c'est nous qui avons besoin de Lui. L'homme qui doute, ou nie Dieu et l'autre monde avec opiniâtreté, et qui veut agir par lui-même sans jamais tenir compte de la volonté divine parviendra peut-être à obtenir impunément ici-bas ce qu'il désire matériellement. Mais viendra le moment où il sera confronté avec ses erreurs, et il faut souhaiter qu'il lui soit accordé de revenir sur terre pour les racheter, car à l'heure du Jugement il ne se trouvera aucun prophète ni aucun saint pour intercéder en sa faveur.

Chaque homme intervient donc directement dans son destin, d'une part parce qu'il peut modifier ce qui est écrit sur la Table Variable, et d'autre part parce que les tables sont écrites en conséquence de ses actes. Il y a trois étapes dans le perfectionnement de l'âme : on agit d'abord avec le libre arbitre, en essayant de préférer les vœux de Dieu aux siens, puis on coordonne totalement sa volonté avec celle de Dieu, et enfin on reflète Sa pensée et Sa volonté. A l'étape ultime, on jouit de la liberté absolue.

Ainsi, la prédestination absolue est vraie, la liberté absolue existe, mais les deux coexistent aussi. Le degré de libre arbitre est inversement proportionnel au degré de perfectionnement. Plus on avance vers la Perfection, plus on devient monothéiste, c'est-à-dire soumis à la volonté divine ; si l'on remet son destin entre les mains de Dieu, c'est Lui qui décidera pour nous. Enfin, celui qui est arrivé à l'état de Perfection agit dans le pur libre arbitre, car sa volonté est devenue la volonté de Dieu. En tout ce qu'il fait, c'est Dieu qui agit à travers lui.

XIII

Résignation et détachement

Celui qui aborde la voie doit, en toutes circonstances, agir avec le maximum et le meilleur de ses capacités. Il doit établir un équilibre entre sa volonté personnelle et la volonté divine, et accomplir tout ce qui est nécessaire et possible sans se soucier du résultat. Le résultat n'appartient qu'à Dieu seul ; s'il est positif, tant mieux ; sinon, il ne doit pas nous affecter.

Nous devons faire tout ce qui est en notre pouvoir, mais le domaine qui échappe à notre volonté est celui de notre destin, où Dieu agit. Quant au résultat, il ne faut pas croire qu'il soit toujours la conséquence directe de notre action ; ce que nous entreprenons n'est que le moyen par lequel s'exprime la volonté divine, et c'est une grave erreur de croire que Dieu agit sans moyens.

Par exemple, si nous tombons malade, nous devons tout faire pour nous soigner, car même si Dieu a décidé que nous devons guérir, Sa volonté n'agira généralement pas sans l'intermédiaire des moyens matériels dont on dispose pour lutter contre la maladie ; c'est pourquoi nous devons prendre des remèdes. Tous les malades font de même, mais si certains guérissent et d'autres pas, c'est que Dieu a voulu qu'il en soit ainsi en ce qui les concerne.

Tout ce qui nous arrive a une cause plus ou moins directe et est la conséquence des actes et des pensées de notre vie présente ou de notre passé. Lorsqu'on dit que Dieu nous punit ou nous récompense, c'est une façon de parler. Dieu n'a pas à intervenir directement ni à contrôler le comportement de chacun, mais Il nous a créés de telle sorte que nous récoltons toujours dans ce monde comme dans l'autre ce que nous avons semé.

Les choses qui nous arrivent doivent donc toujours se comprendre comme les conséquences de nos actes. Lorsqu'un être a complètement rompu le lien avec son âme angélique, il est si lourd de péchés que la volonté divine n'intervient plus, et qu'on le laisse profiter impunément des conséquences immédiates de ses actes sur cette terre. Comme un châtiment terrestre serait trop doux pour le punir, on lui réserve pour l'autre monde ce qu'il mérite.

Il peut nous arriver quelque chose de fâcheux qui soit une punition pour un mauvais acte que nous avons commis, parfois même sans nous en apercevoir ; car, aussi bien dans les lois du Ciel que dans les lois des hommes, les erreurs même involontaires sont sanctionnées, bien qu'intervienne la Clémence divine. Si nous avons une foi sincère, mais que nous commettons des actes nuisibles pour notre âme, Dieu ne veut pas que ces actes nous accablent dans l'autre monde, mais efface nos erreurs, nous infligeant des sortes de punitions. La punition est donc une conséquence de nos actes, et elle a pour but de nous faire pardonner nos fautes passées ; elle peut aussi être un avertissement qui nous empêche de persévérer dans notre erreur. Il y a en effet des événements qui nous paraissent fâcheux, mais qui sont en réalité des bienfaits, car d'ordinaire les hommes ne peuvent pas prévoir ce qui est bon ou mauvais pour eux.

Par exemple, quelqu'un commet une faute grave ; s'il est aussitôt puni, il prend conscience ainsi du danger qu'il y aurait à récidiver, et il bénéficie donc d'une faveur, bien que la punition ne soit pas agréable.

Le terme « punition de Dieu » n'est qu'une façon de parler : Dieu est miséricorde et justice, et Sa justice exige que les mauvaises actions comme les bonnes engendrent d'elles-mêmes des réactions. Dieu a voulu cette juste loi, mais Il a laissé à l'homme la liberté de provoquer ces réactions.

En conclusion, pour ceux qui croient en Dieu et pratiquent les commandements des prophètes, la volonté divine intervient largement dans ce qui leur arrive, alors qu'elle n'intervient que très peu pour ceux qui nient Dieu et agissent à leur guise. Pourtant, quelle que soit la somme des péchés accumulés par une âme, Dieu ne manquera jamais de lui envoyer un signe, un avertissement qui lui permettra de prendre conscience de ses fautes, et lui donnera la possibilité de se sauver.

Lorsque nous avons compris que nous sommes responsables de nos actes et de leurs conséquences, nous ne pouvons qu'accepter avec résignation tout ce qui nous advient, tout en nous efforçant de ne pas compliquer notre situation présente et future par de nouvelles fautes.

XIV

Les conséquences de nos actes

Pour avancer dans la voie, il faut connaître les implications de nos actes. Chacun de nos actes a deux effets : d'une part, un effet immédiat dans ce monde, et, d'autre part, un effet dans l'autre monde. Si un homme est un menteur effronté, tout le monde le sait et personne n'a confiance en lui : c'est l'effet immédiat du mensonge. Mais sa faute est aussi notée dans l'autre monde, où il rendra compte de ses actes. Si quelqu'un joue de l'argent, et perd ainsi toute sa fortune, il n'en aura pas moins sa punition dans le monde spirituel. Si quelqu'un commet un vol et est puni pour cela, c'est l'effet immédiat ; l'équivalent du vol n'en sera pas moins évalué dans l'autre monde. Un effet immédiat ne peut effacer une faute ; il n'en est que la conséquence.

A l'inverse, si vous accomplissez des actes de charité remarquables, si vous aidez les autres par devoir, si vous agissez pour la cause spirituelle avec sincérité et de façon désintéressée, et que, par ailleurs, vous devenez aimé et respecté, riche et en bonne santé, etc., il ne s'agit que de l'effet immédiat. Quant à l'équivalent de vos bontés, il est noté dans l'autre monde. Mais si vous agissez ainsi seulement pour être admiré ou pour quelque autre avantage personnel, vous n'obtenez généralement que l'effet immédiat, car ce que vous faites pour le monde terrestre vous est rétribué sur terre ; vous aurez peut-être tout ici, mais dans votre vie éternelle il ne vous restera rien, ou pas grand-chose. Les bons actes sont rétribués en fonction de l'intention de chacun : si vous voulez votre récompense dans le monde matériel, Dieu vous la donnera, mais il vaut mieux la garder pour l'autre monde.

C'est à la condition d'agir de façon *désintéressée* que vous serez récompensé pleinement pour vos bons actes. Quant aux mauvais actes, ce n'est pas pour Dieu que vous les commettez, mais pour vous-même. C'est pourquoi Il a fixé une loi selon laquelle chaque mauvais acte serait compté comme un seul mauvais acte, tandis que chaque bon acte serait récompensé par au moins dix fois sa valeur. Parfois, la récompense est des milliers de fois supérieure à la valeur apparente de l'acte.

Ce ne sont pas nos actes, mais nos intentions qui comptent vraiment. Ceux qui ont fait des découvertes utiles à la société seront récompensés selon l'intention qu'ils ont eue. Si celui qui a inventé le couteau l'a fait pour tuer, il subira les conséquences de la tuerie ; mais s'il l'a inventé pour que ses semblables vivent mieux, il sera récompensé, même si on utilise son invention pour faire le mal. C'est l'intention qui détermine le résultat spirituel ; les conditions extérieures importent peu, car Dieu considère l' « intérieur » de chacun. Certains agissent dans un esprit de sacrifice pour leurs semblables, sans même s'en rendre compte ; ils seront récompensés pour tout ce dont les autres bénéficient. Tous les bienfaits envers les hommes, les animaux et même les plantes reçoivent leur rétribution. Ceux qui ont fait une découverte qui sert le bien de l'humanité seront récompensés, même s'ils n'ont pas agi dans ce but, car Dieu aura voulu leur faire une grâce, et les aura guidés vers cette découverte.

On voit aussi des gens qui se font persécuter ou tuer pour des motifs non spirituels, pour une idéologie ou des idées politiques. Ils ne recevront presque rien pour cela. Ceux qui se font martyriser pour un idéal social obtiendront tout de même une compensation, mais ils l'auront payée très cher. On voit encore des individus qui se sacrifient pour sauver la vie de leurs semblables : ils seront récompensés largement, et franchiront peut-être même des dizaines d'étapes sur le chemin du perfectionnement.

Quant à ceux qui se font martyriser pour Dieu, ils sont comblés de grâces.

XV

Nos actes et nos pensées demeurent

Tous nos instants sont enregistrés dans les mondes matériel et spirituel et ne disparaîtront jamais. Tous nos actes laissent leur trace dans l'air, la terre et les objets, comme sur un film ; cette trace demeurera aussi longtemps que l'air et la terre existeront. Il faut comprendre cela au sens physique ; un jour viendra sans doute où l'on inventera un procédé pour capter les événements inscrits dans l'air et dans la terre ; on pourra alors voir et entendre ce qui a été fait et dit il y a des milliers ou des millions d'années.

Dans le monde spirituel, les actes s'inscrivent de façon analogue. Tout ce qu'on fait et pense est enregistré au fil de nos vies successives. Il y a aussi un autre enregistreur qui est notre propre âme, le « Soi ». Lorsque nous sommes sur le point de mourir, nous avons une vision instantanée de toute la vie que nous quittons, et même de nos vies précédentes, dans tous leurs détails.

Le monde matériel n'enregistre que nos actes et nos paroles, mais dans le monde spirituel et dans notre âme, nos pensées, nos représentations et nos sentiments sont inscrits et sont visibles pour les autres âmes. Ainsi, tout cela laisse une trace sur l'âme et lorsque celle-ci arrive dans l'autre monde, le Juge voit en détail tout ce qui y a été imprimé en 50 000 ans de vies successives, car il n'y a de problème ni de temps ni d'espace dans ce monde-là.

Il y a donc trois enregistreurs définitifs : le monde concret ; le monde spirituel, qui enregistre absolument tout, nos pensées, nos sentiments, nos passions, nos actes, etc. ; notre propre âme, le « Soi » qui, comme le monde spirituel, enregistre rigoureusement tout.

Quiconque commet de mauvais actes ou a de mauvaises pensées grave ces actes et ces pensées dans son âme, si bien que dès son arrivée dans l'autre monde il a une conscience aiguë de toutes ses fautes, et toutes les âmes savent exactement ce qu'il est ; elles lisent en lui, le méprisent et le repoussent. Dans l'autre monde, les âmes, selon leur degré de perfectionnement, dégagent une force qui empêche les âmes inférieures de les approcher sans leur permission. Si l'on sait que la qualité dominante de toute âme est la dignité, on peut imaginer ce que signifie pour une âme de se sentir déshonorée et méprisée par toutes les autres, alors qu'elle ne peut plus rien faire pour échapper à cette humiliation ; c'est une honte indescriptible et insupportable.

XVI

Le comportement dans le monde

Nous ne devons pas considérer ce monde comme un lieu de plaisir, mais comme une terre à cultiver, à ensemencer, et comme une école de perfectionnement, car nous sommes ici pour semer, afin de récolter dans l'autre monde et de parcourir les étapes. Il vaut mieux ne demander aucun avantage pour notre vie sur terre, mais agir de façon désintéressée, bien qu'active, et si l'on obtient une récolte terrestre, ne pas s'y attacher.

Pour ne pas tomber dans le piège de l'orgueil, il faut oublier tout ce qu'on accomplit pour Dieu.

La meilleure ligne de conduite pour la vie dans le monde est de prendre exemple sur les personnes que la société considère comme des sages. Un sage est un homme qui pense sainement et n'est pas esclave de ses désirs, qui détient un savoir authentique et dont le comportement rappelle celui des saints ou des prophètes. Il convient d'agir dans le monde en tenant compte du lieu et du temps ; d'adopter les usages et les coutumes, de suivre la mode, à condition de ne pas se faire remarquer, en un mot, d'avoir des manières naturelles et une attitude digne. Il faut éviter tout ce qui produit une accoutumance ou une manie, comme l'alcool, les drogues, etc.

La place d'un homme est parmi les hommes, aussi n'est-il pas bon de se retirer loin du monde. Vivre en ermite ne sert à rien, ni pour les autres ni pour soi-même. Nous devons, au contraire, vivre dans la société, nous rendre utile, améliorer le sort de nos semblables dans toute la mesure de nos moyens, et nous efforcer d'accomplir parfaitement même les tâches les plus simples de la vie. Celui qui n'est pas sérieux et actif dans le domaine matériel ne le sera pas dans le domaine spirituel. Il faut s'arranger pour avoir une vie active, mais à condition que ces activités n'aillent pas à l'encontre de la morale, et ne nuisent pas à notre âme. Les hommes proches de la Perfection sont toujours actifs ; ils ont leur but spirituel sans cesse présent à l'esprit et agissent par amour du devoir, mais ne font aucun cas de leurs œuvres. Ils ne s'attachent qu'à Dieu seul, et c'est Lui qu'ils aiment par-dessus tout.

Nous devons respecter et ne pas juger ceux qui sont suivis et estimés par le plus grand nombre. Si un homme est respecté et si ses idées sont approuvées par des milliers ou des millions de personnes, on se gardera de médire de lui ou de lui manquer de respect. Evidemment, il ne s'agit pas d'adopter ses idées ni, au contraire, de le combattre si sa voie ne nous mène pas là où nous voulons aller, mais il ne faut ni le mépriser, ni éprouver de la haine pour lui, pas plus que pour qui que ce soit. On doit se soumettre aux lois morales et civiques en usage, et il vaut mieux ne pas s'occuper de politique, mais seulement défendre ses droits sans empiéter sur ceux des autres. Dans les rapports avec nos semblables, nous devons être bons et généreux envers ceux qui agissent mal comme envers ceux qui agissent bien. Il faut savoir pardonner, et il y a un bonheur dans le pardon qu'on ne trouve jamais dans la vengeance. Toutefois, si nous pouvons laisser les gens bien intentionnés abuser quelque peu de notre bonté, nous ne devons jamais laisser abuser de nous ceux qui ne le méritent pas, et devant les gens mal intentionnés, mieux vaut, en général, être sur la défensive. La parole : « Si on te frappe la joue droite, tends la joue gauche », ne signifie pas, comme on le croit d'habitude, qu'il faut être passif et se laisser persécuter. Le vrai sens de cette parole s'applique seulement à un saint, qui voit en toutes choses la volonté de Dieu : il se soumet entièrement, car il voit dans le geste de celui qui le frappe une punition, une épreuve ou un avertissement divin.

Enfin, il convient de ne pas perdre de vue la hiérarchie des devoirs établis par Dieu : devoirs envers notre âme angélique ; devoirs envers notre corps, notre conjoint, nos enfants, nos parents, notre famille, nos amis, la société, etc. Bien entendu, la société a en quelque sorte priorité, car se sacrifier pour autrui est d'un grand profit pour notre âme angélique. Il faut cultiver l'altruisme, car dans le cœur de tout homme il y a une parcelle divine, et s'attirer les cœurs est s'attirer la grâce divine.

Un principe important est de toujours s'acquitter de ses dettes matérielles ou morales envers ses semblables. Dieu efface les dettes contractées envers Lui, mais ne pardonne pas les dettes contractées entre les hommes. Dans ce cas exceptionnel, lorsqu'il s'agit d'une dette de cœur, comme après avoir blessé quelqu'un par exemple, le remords et le repentir ne sont d'aucun effet tant qu'on n'a pas réglé sa dette. Les dettes morales sont notamment l'ingratitude envers ses parents, la pire de toutes, ainsi qu'envers ceux qui nous ont instruits, éduqués et aidés.

La règle d'or est de se mettre, en toutes circonstances, à la place des autres : aimer pour les autres ce qu'on aime pour soi-même ; détester pour les autres ce que l'on déteste pour soi-même.

Dans la vie, il est nécessaire d'avoir des choses et des êtres une « vue bonne » *(nikbini)*. « Voir bien » a deux sens : ne voir que le bien, et voir juste et exact. Voir juste signifie connaître exactement les personnes avec lesquelles on a affaire, connaître leurs qualités, leurs défauts, leurs faiblesses, leurs tendances, etc. Il faut toujours poser un regard lucide sur le monde et les hommes, sans se leurrer sur leur compte, mais sans pour autant être affecté, ni même se sentir concerné par ce que nous voyons, car on ne nous demande aucun compte pour ce que font les autres en bien ou en mal.

Voir bien signifie aussi voir le bien. Tout être est une création de Dieu, et en chacun existe une parcelle divine. Aucune créature n'est haïssable en elle-même, mais seuls les actes sont mauvais et détestables, car c'est par eux que l'âme est rendue mauvaise. De plus, toute chose est régie par un ordre, une justice et une rigueur divine immuables.

Si une accumulation d'actes mauvais finit par rendre une âme ténébreuse, ce n'est que par un long et implacable processus régi par la science divine, et englobant des chaînes de châtiments spirituels et matériels, des morts et des renaissances, des prédestinations variables, etc. Voir bien, c'est donc aussi admirer ce chef-d'œuvre de justice qui relie l'acte et l'être de tout homme, quel qu'il soit.

Ainsi on considérera ses semblables comme autant de chefs-d'œuvre, qu'ils aient une âme lumineuse ou ténébreuse, qu'ils agissent en bien ou en mal. De même qu'on admire une peinture représentant aussi bien des anges que des monstres, de même on reconnaît sous toutes ses manifestations l'art parfait du Créateur.

Lorsqu'on a affaire à quelqu'un, on le voit donc

tel qu'il est, sans se leurrer sur son compte : c'est voir juste. Dire que tout les êtres sont bons est le point de vue du naïf, mais la vérité est que ce qu'on voit de bien et de juste dans tout homme est cette prévoyance divine qui établit la relation entre notre comportement et ses conséquences sur notre âme. Dieu a rendu tel homme mauvais (ou l'a puni) en rétribution de ses mauvais actes, comme il a élevé telle âme en rétribution de ses mérites. Dans les deux cas, il s'agit d'une œuvre parfaite dans laquelle tout a été rigoureusement calculé et pesé. En conséquence, il ne nous importe pas qu'un être soit bon ou mauvais ou entre les deux. Il faut seulement voir objectivement la différence entre un loup et un agneau ; on se méfiera du loup et de ses ruses, mais sans le détester pour autant, sans le condamner, sans médire ni se plaindre de lui, sans s'affliger sur son sort ni s'étendre sur son cas.

Pour saisir vraiment ce que signifie « voir bien », il faut en pratiquer les lois. On comprendra alors la valeur spirituelle de ce principe qui porte en lui les germes de la connaissance juste, de la sérénité, du détachement, et de l'amour authentique envers les créatures.

Voir bien s'applique à tout, car tout être ou événement porte l'empreinte du Créateur. Ainsi, on ne se plaindra jamais de la société ou du temps dans lequel on vit. La première raison est que se plaindre est blasphémer. La seconde raison est que se plaindre présuppose une haute estime de soi, de ses mérites et de la rétribution qui leur est due. La troisième raison est que ce sont les lois divines de cause et effet qui rendent les hommes et les sociétés mauvais. Enfin, en voyant l'aspect juste et positif des choses, on comprend qu'une société pourrie constitue un véritable engrais pour un terrain spirituel. Dans une telle société, la croissance de l'âme est favorisée : conscients de la décadence qui nous entoure, il nous suffit d'agir à contre-courant, alors que dans une société où tout est bien, il est beaucoup plus difficile de se surpasser.

XVII

L'homme et la femme

Lorsqu'une âme est créée, elle peut habiter trois sortes de corps : ou bien elle n'habitera que des corps d'hommes, ou des corps de femmes, ou bien encore on ne lui attribuera pas de sexe défini ; dans ce dernier cas, elle habitera des corps de purs androgynes, bien qu'après une certaine période, le sexe se précise.

Chez certains individus, une tendance du sexe opposé se manifeste dans les goûts et les habitudes. Cela est le fait du corps basharique qui garde l'impression des âmes animales ayant participé à son élaboration ; par exemple, si 45 % d'âmes animales mâles entrent dans la constitution d'une âme basharique femelle, le résultat sera une femme qui a des goûts masculins ; s'il y a 99 % d'âmes animales mâles pour une âme basharique mâle, on aura un homme très viril.

Du point de vue spirituel, les âmes qui habitent des corps d'hommes, de femmes ou d'androgynes ont les mêmes possibilités de réalisation ; aucune n'est défavorisée. En aucun cas l'homme n'est supérieur à la femme, si ce n'est par sa force musculaire. Il y a autant de femmes que d'hommes qui arrivent à la Perfection, et une fois atteint cet état, il ne subsiste aucune différence de nature entre les âmes des deux sexes.

La vie d'un homme présente autant d'avantages et d'inconvénients que celle d'une femme. Les hommes et les femmes ont reçu des dons égaux, mais quant au corps et quant à l'âme, ils ne se ressemblent pas. Certaines qualités existent chez l'un et point chez l'autre, mais tous deux se complètent.

L'homme et la femme sont égaux spirituellement. Il pourrait donc y avoir, parmi les femmes, des prophètes, des saints et des maîtres spirituels. S'il n'y a pas eu de femmes-prophètes et si l'on connaît peu de maîtres ou guides spirituels féminins, c'est pour des raisons d'ordre social.

Lorsqu'on éprouve le désir charnel, il ne faut pas le refouler et il vaut mieux se marier et avoir de bons enfants. Si Dieu nous a créés par couples, c'est afin que la création se poursuive. Aller contre la nature sans l'ordre de Dieu est une désobéissance. Les hommes parfaits, qui ont le contrôle de leur nature, peuvent indifféremment se marier ou non, selon l'ordre qu'ils ont reçu. Ainsi, après avoir atteint la Perfection, Bouddha mena une vie chaste. Jésus, né parfait, n'éprouva aucun désir de se marier, et Dieu ne lui en donna pas l'ordre. En revanche, d'autres êtres parfaits reçurent un commandement contraire.

Avoir une famille équivaut à une sorte de prière, et si l'on compare celui qui a une famille à sa charge, et celui qui ne prend aucune part à la vie active de la société et passe son temps en dévotions, une journée du premier équivaut peut-être à mille journées du second. Plus le mari et la femme sont sincères et s'aiment, plus ils attirent sur eux la grâce de Dieu. La prière d'un couple uni de cœur équivaut à la prière d'une grande réunion de croyants. En toutes circonstances, un homme doit d'abord penser au bonheur et au bien-être de sa femme, puis à ceux de son enfant, et enfin de ses parents, et la femme doit agir de même.

On a aussi des devoirs particuliers envers ses parents : on leur doit le respect, et il est bon de prier pour leur âme, aussi bien de leur vivant qu'après leur mort.

Il n'est pas juste pour l'homme d'aujourd'hui d'avoir plus d'une épouse, et, à plus forte raison, d'être infidèle à sa femme ; l'inverse est également un péché grave pour la femme. La loi coranique autorise la polygamie, à la condition de faire régner la justice absolue entre les épouses. Cela signifie qu'il faudrait, comme le Prophète et certains autres l'ont fait, pouvoir porter un amour égal à chaque femme, de sorte qu'il n'y ait pas de jalousie entre elles ; or cela est impossible à notre époque, et si l'on désire une nouvelle femme, c'est qu'on aime moins la première. Aussi, de nos jours, on ne doit pas épouser plus d'une femme, car en appliquant les paroles du Coran selon l'esprit, il n'est pas possible d'en avoir plusieurs.

Si toutes les religions recommandent de se marier et de faire reconnaître ce mariage par la société, ce n'est pas pour les quelques paroles prononcées par une autorité religieuse ou civile, car on pourrait dire soi-même ces paroles. Ce qui importe, c'est que lorsque le mari et la femme s'engagent à être fidèles l'un à l'autre, ils s'unissent par le cœur et par l'âme. Leur état intérieur change alors, car la façon dont les époux se considèrent n'est pas la même lorsqu'il s'agit d'une union provisoire.

Le mariage est aussi la garantie qu'en cas de séparation, les droits du plus lésé soient rendus. Si un couple est en désaccord, et que la vie en commun devient insupportable, il vaut mieux divorcer. Nul ne doit être lésé dans ses droits ; il faut tenir compte de tout, agir sans précipitation, et se quitter en bons termes.

L'enfant qui vient au monde dans l'ambiance d'un couple uni est tout à fait différent de celui qui est conçu dans une union passagère. Son corps dépend de la nature du rapport qui unit les parents ; il est bon si ceux-ci sont unis selon les lois divines, s'ils sont nourris sainement, vivent dans un bon milieu, ont une pensée pure, et si l'enfant est conçu dans un moment favorable. Les prophètes ont recommandé aux couples de penser à Dieu au moment où ils s'unissent charnellement, car une telle pensée purifie l'âme, et le corps ainsi créé sera digne d'une grande âme. Inversement, un enfant conçu par exemple dans l'adultère ou en état d'ivresse n'aura pas un corps digne d'une telle âme.

Il y a huit facteurs qui interviennent au moment de la conception et pendant la gestation : les sangs du père, de la mère, des grands-parents et des arrière-grands-parents (soit quatorze sangs différents), la pensée du père, la pensée de la mère, la nourriture, le temps et le lieu, l'ambiance, enfin et surtout, la volonté divine. La volonté divine est comme une onde magnétique : plus l'appareil récepteur qu'est le corps est sensible, plus il capte cette onde de façon précise et ample, et, en général, si l'on tient compte des facteurs cités et qu'on agit selon les principes divins, il est presque certain que la bénédiction divine descendra sur l'enfant.

XVIII

Comment l'âme pénètre dans le corps

Les âmes séjournant dans le monde intermédiaire *(barzakh)* attendent un habit qui convienne à leur degré de perfectionnement. Ce qu'elles ont acquis au cours de leurs vies antérieures est évalué, et selon le mérite et l'état de chacune, tel ou tel habit lui est assigné. Le corps reçoit l'âme qui lui convient et, selon son degré de pureté, reçoit une âme bonne ou une âme chargée de péchés. L'âme se dirige d'elle-même vers le corps et le milieu qu'elle mérite, et le corps capte l'âme qui lui convient.

Lorsqu'un ovule est fécondé, une âme est choisie pour habiter le corps qui naîtra neuf mois et quelque plus tard, mais il est possible de la changer de destination et de prévoir une autre âme pour ce corps. Cela dépend du comportement du couple et des conditions générales qui seront créées pour ce corps.

Au moment de la naissance, l'âme angélique pénètre dans le corps du nouveau-né à l'instant précis où il aspire sa première bouffée d'air. Il arrive parfois, comme punition, que l'âme pénètre dans le corps quelques instants avant la délivrance ; elle éprouve alors la sensation étouffante et très pénible d'être lentement poussée hors du ventre de la mère.

Il arrive même que l'âme vienne habiter le fœtus bien longtemps avant sa venue au monde, afin de souffrir de cet emprisonnement.

Tout à fait exceptionnellement l'âme angélique ne pénètre pas dans le corps. Elle peut y pénétrer plus tard, parfois même après quelques années, ou jamais. Les hommes dépourvus d'âme angélique sont très proches des animaux ; ils sont stupides et indifférents à tout ce qui n'est pas leurs besoins physiques. Ce sont des animaux-humains, ou *bashar* purs ; ils ont un corps de terre et une âme de terre. Ils n'ont aucune initiative et vivent complètement sous l'influence du milieu. Comme des animaux domestiques, ils n'éprouvent aucun sentiment pour celui qui leur fait du bien ou du mal. Ils ne se marient jamais, car ils n'en éprouvent pas le désir. Ils peuvent même tuer sans ressentir le moindre remords. A les voir, on comprend ce qu'est l'âme angélique dont ils sont dépourvus ; on comprend vraiment ce qui distingue l'homme, l'homme pensant, volontaire et créateur, de l'animal-humain. Quand ils meurent, ils retournent à la terre, et il ne reste rien d'eux dans l'autre monde.

Pendant la période qui suit la naissance, l'enfant conserve encore les impressions et les souvenirs de sa vie précédente. Il n'a pas conscience de l'état dans lequel il est, mais il est en contact avec le monde spirituel, dont il perçoit très nettement les impressions. Peu à peu, ces impressions s'estompent, et vers l'âge de six mois, il a à peu près oublié qui il est et commence à prendre conscience de la situation dans laquelle il se trouve.

Si un enfant meurt avant les quarante jours qui suivent sa naissance, cette durée n'est pas comptée dans les cinquante mille ans, mais s'il meurt après le quarantième jour, cette période est comptée.

La mort du nouveau-né avant le quarantième jour est donc une grande punition, et la souffrance que l'enfant doit endurer est tellement intense qu'il en conserve le souvenir même dans les vies suivantes.

XIX

Pourquoi on oublie ses vies antérieures

Si l'âme ne se rappelle pas ses vies antérieures, c'est pour des raisons précises : les hommes ne savent pas dominer leurs instincts animaux, et s'ils se souvenaient de leurs vies précédentes, l'ordre de la société en serait bouleversé. Supposons par exemple que, dans une vie passée, nous ayons eu un ennemi terrible, puis que nous le rencontrions dans une autre vie et le reconnaissions ; bien qu'il ait changé de corps, son soi n'aurait pas changé et il serait toujours le même homme ; alors, notre haine serait telle que nous ne pourrions nous empêcher de nous venger. C'est donc une marque de la prévoyance divine que d'oublier ses vies précédentes, car si tout le monde en avait la mémoire, ce serait le désordre parmi les hommes. Tant qu'on ne domine pas ses instincts animaux, il vaut donc mieux ne pas se souvenir de ses existences passées.

A l'inverse, plus on domine son soi impérieux, plus les voiles de l'âme s'écartent, et l'on finit par connaître ses vies précédentes. Pourtant, sans avoir atteint ce stade de conscience, nombreux sont ceux qui se remémorent des moments de leurs anciennes vies. Généralement, ils n'osent pas en parler car, n'ayant aucune connaissance du phénomène des vies successives, ils pensent que ce sont des produits de leur imagination et craignent qu'on ne les considère comme des fous. On pourrait pourtant citer d'innombrables cas de réminiscences partielles. Ainsi, il nous arrive de voir un endroit pour la première fois et avoir l'impression d'y avoir déjà vécu, ou de rencontrer des personnes qui nous sont d'emblée sympathiques ou antipathiques, sans explication. On a vu aussi des enfants parler de leurs vies antérieures, et citer des détails vérifiés ensuite par les scientifiques et confirmés par les personnes mêmes dont ils se souvenaient. Ces épisodes anodins de nos vies antérieures ne sont pas nuisibles et demeurent en notre mémoire ; mais ce qui est vraiment important, il est rare qu'on se le rappelle.

Si nous nous souvenions de toutes nos vies, le chemin de la Perfection serait continu et il n'y aurait plus la nécessité des étapes et des habits différents ; il suffirait d'une seule vie de cinquante mille ans au plus, et la situation serait tout à fait autre. Si les hommes se souvenaient de la somme de leurs péchés, ils seraient à tel point plongés dans le désespoir qu'ils n'auraient jamais le courage de se rattraper. Ils se comporteraient comme celui qui est si en retard dans la course qu'il s'arrête de courir. Or il n'y a jamais lieu de se décourager, car dans le monde spirituel existent des possibilités de rattraper le temps perdu qui ne se trouvent pas dans la vie matérielle. Il peut suffire d'un seul acte remarquable pour effacer tous les péchés commis. (Toutefois, ce n'est pas à nous, mais à Dieu seul de juger de la valeur de nos actes ; nous pouvons accomplir un acte qui ne nous paraît pas extraordinaire, et qui sera pour Dieu une grande action ; le contraire peut arriver aussi.) Donc, si on ne se souvient pas de son passé, c'est pour avoir toujours l'espoir et la possibilité de se rattraper.

Dieu ne permet pas qu'une âme aille d'elle-même

à sa perte : si quelqu'un a mal agi dans une vie, en principe le milieu qu'il mériterait dans la vie suivante serait plus mauvais que le précédent, et s'il était abandonné à lui-même, il glisserait sur la pente jusqu'aux abîmes. Il oublie donc ce qu'il a été, et quel que soit son état, au moins une fois dans sa vie l'occasion lui est donnée de sauver son âme et de remonter jusqu'au sommet. Pour un athée, un matérialiste convaincu, ou celui qui croit à des idées complètement fausses, c'est une grâce qui lui est faite d'oublier ses idées dans la vie suivante, sans quoi il persisterait dans son erreur.

Ce n'est pas seulement parce que l'âme habite un corps physique qu'elle ne voit pas les réalités spirituelles. Mais c'est surtout parce que les désirs du soi impérieux obscurcissent cette âme. Celui qui arrive à dominer ses désirs peut, jusqu'à un certain degré, communiquer avec l'autre monde, se remémorer toutes ses vies antérieures, et voir beaucoup d'autres choses encore.

Il arrive que des individus commettent tellement de péchés que, pour les punir au maximum, leur âme est reliée à celle d'un animal. Cette âme se sait emprisonnée dans cet animal et ressent exactement les mêmes sensations que l'animal auquel elle est rattachée. Elle croit qu'elle est un homme transformé en bête. Son âme submerge complètement celle de l'animal qui souffre avec elle, et, afin de souffrir davantage, l'âme a conscience de ce qu'elle a été et connaît parfaitement la cause essentielle de sa punition.

Si Dieu est juste, on peut se demander pourquoi certains animaux sont malades et affamés, alors que d'autres vivent normalement. Il ne s'agit pas d'une punition ou d'une récompense pour eux, puisqu'ils n'ont pas à répondre de leurs actes. En observant avec clairvoyance certains de ces animaux, on voit qu'une âme humaine y est reliée et a conscience de son état. Quant à l'animal lui-même, qui souffre alors qu'il ne le méritait pas, il lui sera accordé une compensation considérablement plus grande que la peine qu'il aura endurée. Par exemple, au lieu de rester à l'état animal pendant des milliers d'années, son âme deviendra tout d'un coup une âme basharique. Evidemment tous les animaux qui souffrent ne sont pas reliés à une âme humaine et souffrent pour des raisons trop longues à expliquer, mais elles ont aussi des compensations, car au niveau divin l'injustice n'existe pas, ni dans ce monde ni dans l'autre.

La liaison d'une âme humaine avec celle d'un animal n'est évidemment pas la destinée normale d'une âme, mais une exception. Généralement, l'âme poursuit pendant cinquante mille ans son chemin vers la Perfection, à moins qu'elle l'ait atteinte auparavant, mais au cours de son cheminement, elle peut marquer des arrêts ou même rétrograder ; mais jamais elle ne régresse définitivement ni ne s'immobilise à une étape inférieure à celle de l'animal humain. Quel que soit son niveau ou la somme de ses fautes, une âme ne peut devenir une âme animale. L'âme angélique est née de l'Expir divin, aussi est-il impossible qu'elle change de nature et rétrograde au niveau de l'âme animale ou végétale, qui sont des créations d'une espèce toute différente. Certes, elle peut chuter en cours de route, mais souvent on empêche la chute et au lieu de faire perdre à l'âme son acquis spirituel, on la punit. La punition est alors d'autant plus sévère que le degré de perfectionnement déjà atteint est élevé.

Il est possible aussi d'échanger l'âme d'une personne vivant sur terre avec celle d'une autre. En observant bien, on peut remarquer des cas semblables et voir une personne jusque-là bonne et charitable devenir du jour au lendemain méchante et agressive : elle n'est plus la même. Au contraire, on voit quelqu'un arrivé au plus haut degré de méchanceté, devenir soudain bon et serein. Il s'agit donc d'une punition provisoire ou d'une récompense limitée, ce qui est, bien entendu, assez rare. La raison de cet échange est la suivante : le corps est comparable à une maison ; une belle demeure peut être habitée par des individus sales et indignes, alors qu'un taudis peut être habité par des gens très bons et purs. La justice exige donc que chacun soit à sa place. Le corps est aussi comparable à une monture : il en est de bonnes et de mauvaises, et il peut arriver qu'une âme soit indigne d'une bonne monture, ou l'inverse. D'autre part, le milieu intervient également : un mauvais corps peut évoluer dans un mauvais milieu et être habité par une âme bonne ; on verra alors une telle personne agir parfois avec bonté et charité, et d'autres fois se conduire bassement. Il faut alors qu'on la change de corps et qu'on donne à ce corps impur l'âme qui lui convient.

XX
Comment l'âme quitte le corps

Les sensations éprouvées par les mourants au moment où leur âme quitte le corps varient en fonction du bilan des actes que la personne a accomplis et des pensées qu'elle a nourries durant ses vies terrestres.

L'état de l'âme, lorsqu'elle pénètre dans le corps, est comparable à celui d'un oiseau exilé de son nid et emprisonné dans une cage étroite et sombre. Pendant toute la durée de sa vie ici-bas, l'âme y demeure afin de parcourir les étapes du perfectionnement dans les « classes » terrestres, et d'acquérir la pleine compréhension des immenses bienfaits divins. Car l'âme, avant de revêtir un corps, est pure et ignorante ; par le perfectionnement, elle redevient pure, mais connaissante.

Tout homme, mis à part certains cas particuliers, se trouve mieux dans l'autre monde que dans celui-ci ; quel que soit l'état dans lequel se trouve l'individu quand la mort naturelle survient, c'est une libération pour lui, même lorsqu'elle n'est que provisoire.

On peut distinguer quatre cas extrêmes de mort naturelle :

— Le cas de ceux qui ont compris le processus du perfectionnement de l'âme et ont parcouru des étapes : leur âme a conscience de la place qui lui est réservée, et leur mort (c'est-à-dire le moment où l'âme quitte sa prison) est si douce qu'elle leur procure une extase spirituelle indescriptible.

— Le cas des vrais croyants, possédant une foi totale en l'Unique : l'âme quitte le corps comme un dernier souffle. Libérée de sa geôle, elle se sent légère et libre ; elle est attendue et bien accueillie dans le monde spirituel.

— Le cas des personnes consciencieuses, qui respectent les lois morales et sociales : souvent, l'âme abandonne le corps avec facilité, mais après avoir pris conscience de sa nouvelle situation, elle éprouve un certain regret des négligences dont elle s'est rendue coupable durant sa vie terrestre.

— Le cas des individus qui nient avec obstination Dieu et l'autre monde, ne croient qu'au monde d'ici-bas et ne reculent devant rien pour satisfaire leur *nafs* : leur souffrance, pendant et après la mort, est d'une telle intensité et d'une telle variété que les mots manquent pour la décrire. Seules la grâce et la miséricorde du Créateur peuvent l'alléger.

En dehors de ces cas, il peut y en avoir d'exceptionnels, qui échappent apparemment à la règle générale.

Quant à la mort subite, elle est très désagréable : en effet, l'âme ne comprend pas ce qui lui arrive, et pendant un temps plus ou moins long, a l'impression d'errer sans savoir où elle se trouve, avant de prendre conscience de son état. Moins l'âme est perfectionnée, plus cette impression persiste. La mort accidentelle, subite et instantanée, à laquelle ni le corps ni l'esprit n'étaient préparés, est une punition

Il est réservé une punition spéciale aux âmes de tueurs ou âmes criminelles *(jenayatkar)* qui ont dépassé les bornes : après la mort, ces âmes prennent pleinement conscience de leurs fautes et subissent un premier châtiment terrible. Ensuite elles subissent un processus d'annihilation, et sont rejetées dans le néant.

Certains disent qu'après la mort, l'âme pénètre dans le corps d'un animal ou d'un végétal ; que l'âme d'un animal s'en va habiter le corps d'un homme ; que l'âme d'une bonne personne s'incarne dans le corps d'un bon animal et celle d'un mauvais animal dans le corps d'un mauvais individu, et ainsi de suite. Les gens qui croient à ce genre d'idées sont des adeptes de la métempsycose *(tanasokh)* ; ils ne croient ni à l'autre monde ni à la finalité de l'âme. Il n'existe rien de semblable, car toute chose qui a un commencement a nécessairement une fin. Leurs idées sont à rejeter complètement ; les lois de la perfection n'ont rien à voir avec ce genre de fables.

XXII

Les autres créatures

Contrairement à une opinion répandue, l'homme n'est pas le seul être pensant de la création. De nombreuses planètes sont peuplées d'êtres doués de raison, à qui il arrive même de visiter la terre. Ils connaissent aussi Dieu, et tout comme l'homme leur but est de parvenir à leur perfection. Certains ressemblent plus ou moins à l'être humain, mais vivent à leur propre façon.

La terre n'est pas seulement peuplée d'hommes, mais aussi de créatures invisibles à nos yeux, qu'on appelle djins ou génies. Toutes les religions ont à peu près dit les mêmes choses sur les djins, et les Livres Révélés y font allusion.

Ils ont été créés longtemps avant Adam, et vivaient sur terre bien avant l'homme. Leur constitution ne comporte pas l'élément terre, c'est pourquoi la matière n'est pas un obstacle à leur vue, qui est très développée, ni à leur pénétration. Ils vivent sur terre et dans l'atmosphère terrestre, mais la force d'attraction n'a pas d'influence sur eux. Ils se meuvent à une vitesse presque égale à celle de la pensée humaine, et peuvent déplacer très rapidement des objets très lourds, ou encore nous paralyser sur place. ils tirent leur subsistance de l'atmosphère, et c'est

entrant dans une prédestination invariable. Cette punition est parfois répétée plusieurs vies de suite pour expier un genre de faute très particulier.

Le suicide est le pire de tous les péchés. La faute la plus noire est susceptible d'être pardonnée, mais le suicide est un péché capital impardonnable. Bien sûr, les suicides d'enfants ou de malades mentaux appellent une grande indulgence. Mais dans les cas les plus graves qui sont les suicidés par désespoir, il est impossible de dépeindre les tourments qui leur sont réservés. Les peines endurées par celui qui s'est donné la mort sont en rapport avec sa compréhension, sa lucidité et son degré de perfectionnement, mais il est faux de croire qu'il y ait des cas excusables. Les suicides d'honneur, même dictés par la société, les suicides de malades incurables, ne sont en aucun cas des moyens d'échapper à la souffrance morale ou physique, mais ont pour effet de reporter cette souffrance, aggravée d'une punition considérable, dans le monde spirituel.

Quelle que soit la cause de l'acte, l'âme du suicidé quitte subitement le corps sans préparation et surtout sans permission ; elle n'est pas attendue, et erre comme une égarée, sans but, sans aide, sans guide, pendant une période plus ou moins longue, parfois pendant de nombreuses années. Il arrive que, durant tout ce temps, elle continue à ressentir la peine pour laquelle elle s'est donnée la mort. A la fin de cette période, qui n'est comptée pour rien, cette âme est conduite au jugement pour entendre et subir le châtiment proprement dit qui lui sera infligé.

Que tous ceux qui encouragent ou répandent l'idée de suicide par la littérature ou les idéologies sachent qu'ils recevront leur part de la punition terrible qui est réservée à ceux qu'ils poussent à se donner la mort.

Certaines personnes sont parfois hantées par une idée de suicide, qui est la transposition symbolique de la lutte entre l'âme et le soi impérieux. Ils rêvent de soumettre complètement leur moi impérieux, de le réduire à la merci de l'âme, de le tuer et de libérer ainsi celle-ci. Comme ils ignorent les réalités spirituelles et que personne ne les a éclairés, ils s'imaginent que leur âme sera libérée par la mort dont ils aspirent à hâter la venue. Dès que leur sera apparue la nécessité réelle de dominer leur âme basharique par la force de l'âme angélique, ils seront délivrés de cette obsession.

Lorsqu'on a compris que la vie terrestre n'est que provisoire, on doit adopter une conduite prudente et prévoyante et s'efforcer d'acquérir ce qui nous servira pour la vie éternelle. Ceux qui ne croient pas à la vie éternelle sont incapables de prouver à des croyants qu'ils se trompent, que les prophètes et les saints mentent. Donc, s'il leur reste un peu de sagesse, ils devront opter pour la prudence : croire en Dieu n'enlève rien et ne peut que nous aider ; croire en Dieu, même si l'on n'est pas pratiquant, est très profitable pour la vie future.

Il ne faut pas oublier que chaque monde a ses propres lois : les choses très recherchées dans ce monde terrestre, comme l'argent, le plaisir ou le pouvoir, n'ont aucune valeur dans le monde spirituel, mais sont des fardeaux pour l'âme. Et rien n'est plus humiliant pour l'âme que l'incroyance en l'existence de Dieu.

La première chose qu'on examinera lorsque vous arriverez dans le monde invisible, c'est la profondeur de votre foi. Il y a bien sûr des gens qui ont vécu dans l'ignorance et ne se sont jamais posé de questions : il ne leur sera infligé aucun mal, mais

du monde spirituel pendant certains rêves, aussi leur efface-t-on tout souvenir de leurs visions. Il arrive qu'ils se rappellent certains passages, et exceptionnellement la totalité du rêve. Généralement, ils ne gardent en mémoire qu'une impression fragmentaire, mais en ce qui concerne l'âme, il en va tout autrement. L'âme angélique n'oublie absolument rien, et porte éternellement la marque de toutes les pensées. Arrivé à l'étape de la Vérité, on embrasse dans sa connaissance la totalité de son âme et on se souvient alors de tout. De même, après la mort, lorsque la vision de l'âme n'est plus obscurcie par les ténèbres du corps, on revit tous ses rêves, toute sa vie et toutes ses pensées.

Il ne suffit pas de connaître les symboles pour interpréter les rêves, mais il faut aussi avoir la vision. Seul un maître authentique peut éclairer un rêve et toutes ses conséquences car, au-delà du récit du rêveur, il perçoit les opérations spirituelles qui président au rêve.

Par ailleurs, l'interprétation d'un rêve spirituel a des conséquences déterminantes et ne doit être laissée qu'à un maître parfait. En effet, l'interprétation d'un rêve agit sur le processus spirituel qu'il signifie. Si l'on fait un rêve pénible et que quelqu'un l'interprète négativement, l'âme sera alors nécessairement soumise à une épreuve pénible. Au contraire, un maître interprète toujours les choses en atténuant l'aspect négatif ou en insistant sur l'aspect positif, car sa clémence l'emporte toujours sur sa justice. Comme sa parole est respectée dans la mesure de sa capacité par les êtres invisibles, il lui suffit d'un mot pour modifier le cours des choses.

Toutefois, si un rêve négatif a déjà été interprété négativement par quelqu'un d'autre, le maître s'abstiendra peut-être d'en forcer le sens d'une manière positive, et on aura ainsi perdu tout le bénéfice de sa grâce.

Certains rêves sont des grâces divines qui nous avertissent de notre destinée spirituelle ou matérielle. Ces rêves sont régis par la loi de la prédestination variable, et c'est pourquoi un maître peut intervenir sur eux. La personne concernée peut également agir sur cette prédestination et éviter un événement fâcheux en s'attirant la clémence divine par tous les moyens. Ainsi, lorsqu'on est averti d'un danger, on peut modifier le destin en faisant des offrandes proportionnelles à l'importance du rêve. Dans ces cas, il faut toujours s'en remettre à Dieu seul, ne rien exiger de Lui, et se soumettre entièrement à Sa volonté, quelle qu'elle soit.

Il y a aussi des rêves spirituels évidents et clairs, qui ne nécessitent aucune interprétation. Il faut donc agir en conséquence.

Il peut nous arriver de voir en rêve une personne qui nous donne un ordre ou un conseil. La règle d'or est de n'obéir ou de ne tenir compte de ce rêve qu'à la condition qu'il soit en accord avec les lois divines. Si le Christ en personne nous donne des ordres contraires aux lois de la Vraie Religion, il ne faut pas l'écouter. Dans de tels cas, il ne s'agit que d'une illusion ou d'une épreuve, car un prophète ne fait rien contre les ordres divins. Bien entendu, si ses paroles sont en accord avec la Religion, on doit les accepter et en tirer les conclusions. Un autre critère est que ces ordres tiennent compte de la réalité et soient réalisables dans la mesure de nos moyens, faute de quoi on n'y prêtera pas attention. Les conditions de validité d'un rêve spirituel sont, par ailleurs, d'être en bon état de santé physique et psychique, et ne pas avoir pensé, avant de s'endormir, à l'idée exprimée dans le rêve. Les rêves d'enfants n'ayant pas atteint l'âge responsable ne doivent pas être pris en considération.

ils regretteront leur ignorance. Quant à ceux qui exigent des preuves concrètes de l'existence de Dieu pour croire en Lui, la réaction de leur exigence les soumettra à des épreuves difficiles à surmonter. Enfin, pour ceux qui ont réellement, du fond de leur âme, nié Dieu, il n'y aura rien de pire que le châtiment qui les attend.

Il faut pourtant savoir que Dieu ne punit personne : ce sont les âmes qui sont mortifiées et torturées par la honte et le reproche qu'elles se font à elles-mêmes. La souffrance de celui qui a nié Dieu est semblable à celle d'un homme qui, dans l'obscurité, sentant quelque chose bouger, frappe dessus avec acharnement. Lorsque vient la lumière, il reconnaît que c'est son propre enfant qu'il a tué et que rien, ni sa peine ni sa confusion, ne pourra lui rendre la vie. Sa douleur alors n'a pas de limites.

XXI

Quelques cas particuliers

Il y a quelques exceptions et cas particuliers dans les règles qui régissent les voyages de l'âme.

Par exemple, certaines âmes ont accompli tant de choses bonnes qu'il leur est fait la grâce de ne plus revenir sur terre pour franchir les étapes du perfectionnement ; elles continuent alors leur travail en séjournant dans le monde intermédiaire *(barzakh).* Dans ce monde, on recrée pour ces âmes exactement les mêmes conditions que dans la vie terrestre ; elles vivent donc dans un milieu tout à fait semblable à celui qu'elles auraient eu sur terre, éprouvent les mêmes sensations charnelles, et peuvent continuer à se perfectionner. Le travail est le même, avec cette différence qu'elles ont le privilège d'être conscientes de leur situation et de la nécessité de ce travail.

Dans certains cas exceptionnels, une âme se trouvant dans le *barzakh* est reliée à celle d'un autre homme, dont le comportement, le caractère, la vie et le milieu ambiant sont analogues à ceux auxquels l'âme aurait été destinée sur terre. En vertu de cette relation particulière, l'âme vivant dans le *barzakh* profite de tous les progrès spirituels de l'autre, sans toutefois avoir à rendre compte de ses fautes. Il s'agit donc d'un grand avantage.

pourquoi ils ne peuvent vivre que dans des atmosphères similaires à celle de la terre. Malgré leur vitesse de déplacement, ils n'ont la possibilité d'aller dans d'autres planètes que sous deux conditions : d'abord que Dieu le leur permette, ensuite que la planète de destination leur offre des conditions atmosphériques compatibles avec leur constitution. Lorsque les génies vont sur une autre planète, ses habitants, contrairement à ceux de la terre, peuvent les voir.

La durée de la vie des génies est semblable à la nôtre, mais dès qu'ils meurent leur corps se désintègre immédiatement dans l'atmosphère. Les génies possèdent eux aussi une âme qui leur est propre et qui poursuit son perfectionnement, dont l'ampleur est considérablement plus restreinte que celle de l'homme.

Ils se divisent en trois espèces : les « fées », les génies et les démons. Tous les génies ont la foi et sont bien intentionnés envers les hommes, de même que les djins et les démons croyants ; au contraire, les djins et les démons incroyants nous sont résolument hostiles et attendent toujours l'occasion d'exercer sur nous leur influence néfaste.

Ces différentes races de génies se rencontrent et coexistent pacifiquement. Chacune possède un chef, mais il n'y a jamais eu de prophètes ou d'envoyés parmi elles. Les génies doivent obéissance aux prophètes et aux envoyés humains ; ainsi, peut-on dire que certains génies sont chrétiens, ou d'autres musulmans. Il en est aussi qui sont incroyants ; à cause de leur refus d'obéir à un saint ou à un prophète humain, et de la haine congénitale qu'ils éprouvent pour les hommes.

Sans l'autorisation de Dieu, les mauvais génies ne peuvent rien contre nous. Prenons un exemple :

autour de nous fourmillent d'innombrables microbes, qui ne nous causent aucun dommage lorsque notre organisme est sain. Mais dans certaines conditions défavorables, lorsque notre corps s'affaiblit, ces microbes nous attaquent, provoquant des troubles et des maladies diverses. C'est exactement ce qui se passe avec les mauvais génies. Comme les microbes, ils vivent en contact avec nous, invisibles et inoffensifs tant que nous sommes dans de bonnes conditions spirituelles, mais lorsque notre comportement, nos péchés, notre incroyance et nos mauvaises pensées affaiblissent notre âme, nous devenons vulnérables à leurs agressions, et ils nous causent mille maux. L'homme qui tombe ainsi sous l'influence d'un génie malfaisant connaît des difficultés très variées, d'ordre social, physique, moral, psychique, etc., et le seul moyen de lutter contre ces influences néfastes est d'implorer la grâce divine, avec l'aide d'une personne animée d'une foi forte.

Il existe une science au moyen de laquelle les hommes peuvent entrer en contact avec les génies, voire même les asservir. Mais elle est fortement déconseillée, car elle prend un chemin qui détourne de la Voie et peut mener à l'abîme.

Quand on parle d'esprits mauvais qui hantent certains lieux, il s'agit généralement de djins impies ou de démons car, comme on le sait, il n'existe pas d'âme ténébreuse en liberté.

Quant aux anges, ils ont été créés avant l'homme, à partir de l'élément « air ». Il en existe de nombreuses catégories, et ils ont aussi un perfectionnement à accomplir, bien qu'ils soient purs de tout péché et exempts d'instincts charnels, de passions négatives telles que haine, orgueil ou colère. Leur rang est supérieur à celui de l'homme non perfectionné, mais l'homme parfait les domine. En effet, l'homme qui a atteint sa propre perfection occupe un rang supérieur à celui de l'âme angélique, parce que sa capacité est bien supérieure à celle de l'ange, ou de toute autre créature, du fait qu'il a surmonté des obstacles plus difficiles et parcouru un chemin plus long que toute autre créature. Mais, par ses fautes, l'homme peut aussi tomber bien plus bas que la plus vile créature ; il peut tomber « plus bas que terre ».

Les créatures inférieures à l'homme possèdent une faculté innée par laquelle elles communiquent avec le Créateur, Le prient et L'adorent. Elles vivent dans un état constant d'euphorie, excepté lorsqu'elles sont reliées à une âme humaine punie.

Les animaux sont doués de sortes de sens subtils, qui leur permettent, par exemple, de prévoir le temps, les tremblements de terre, les influences fastes et néfastes des planètes, etc. Les espèces communiquent entre elles avec leur propre langage. Elles comprennent très bien tout ce qui les concerne, même quand il s'agit des actions humaines ; si une guerre se prépare, certains animaux sentent cette idée germer dans l'esprit des hommes, et ont un langage pour le faire comprendre à ceux qui sont doués de clairvoyance. Tout homme parvenu à la Perfection peut parler avec les animaux, et même communiquer avec les plantes et les objets. Ainsi, il peut constater que même les objets ont leurs propres sensations. Si l'on joue d'un instrument pour louer Dieu, cet instrument est heureux, mais s'il sert à la débauche, il est malheureux. Les minéraux et les végétaux ressentent eux aussi leur Créateur, ainsi que le bonheur et le malheur. Dans une maison où l'on se comporte mal, chaque pierre est malheureuse, mais la terre sur laquelle est bâtie une église, une mosquée ou un temple est heureuse, car elle est utilisée dans le but pour lequel elle a été créée.

Toutes les créatures de la terre adorent le Créateur, excepté l'homme endormi, qui se croit supérieur à tous. Pourtant, lorsqu'il s'éveille, il se sent très humble devant l'immensité de Dieu, et se rend compte qu'à ce chœur universel de louanges peu de voix humaines participent.

XXIII

Rapports avec les âmes

Les âmes évoluant dans le monde intermédiaire *(barzakh)* désirent parfois entrer en communication avec une âme qui se trouve sur terre dans un « habit » humain. Il ne faut pas redouter ces âmes, qui sont toujours bienveillantes et amicales ; si elles essayent de se manifester, il est même bon de les encourager en récitant des prières.

Les âmes prennent contact avec les hommes de diverses façons : on perçoit par exemple des sifflements, absolument différents des sifflements d'oreille pathologiques ; on peut aussi entendre une respiration, un murmure, discerner même des paroles ou des phrases. Toutes ces manifestations sont généralement précédées, chez l'homme qui les perçoit, d'un état particulier, d'une préparation. On sent donc la présence de ces âmes et elles sont parfois visibles, et exceptionnellement, palpables. Elles se manifestent suivant des règles précises : l'âme elle-même n'a pas besoin d'un corps matériel, mais pour être identifiée dans ce monde ou dans le monde intermédiaire, elle prend la forme d'un des corps qu'elle a revêtus antérieurement. Certaines âmes peuvent apparaître sous l'aspect de n'importe lequel de ces corps, et d'autres ne peuvent se montrer que sous certains de ces aspects. Les âmes parfaites, elles, n'ont aucune limitation dans ce domaine, et empruntent la forme qu'elles désirent.

Certaines personnes entretiennent des relations avec des âmes, et les questionnent sur les réalités du monde spirituel. Quand on interroge des âmes à ce sujet, il faut tenir compte du fait qu'elles ne savent pas tout, et que leur connaissance est proportionnelle à leur valeur intrinsèque et à leur degré de perfectionnement. D'autre part, une âme peut posséder un haut savoir spirituel, mais ne pas avoir le droit de divulguer certaines choses ; c'est pourquoi elle ne peut répondre qu'à certaines questions et non à toutes. Il faut aussi être prudent car certaines âmes ont pour mission de nous tenter. Elles ne mentent jamais, mais s'adressent à nous avec un langage et des signes qui leur sont propres, aussi faut-il souvent leur faire préciser leurs propos, et, de toute façon, rejeter tout ce qui ne concorde pas avec les principes des religions. En principe pourtant, leurs paroles ne sont pas nuisibles, mais servent à éprouver la perspicacité de leur interlocuteur.

Ce qu'on appelle communément fantômes n'est souvent que le produit de l'imagination, mais il arrive parfois que des âmes vivant librement dans le monde intermédiaire aient le droit de se montrer dans le monde sensible. Sous l'effet des suggestions et des superstitions, l'image de ces âmes évoquent pour les ignorants des sortes de fantômes effrayants. De telles âmes ne sont jamais mal intentionnées ; si elles l'étaient, elles n'auraient pas la permission de venir rôder sur terre. Il faut bien comprendre, en effet, que des âmes coupables sont comme enchaînées et n'ont aucun pouvoir, ni dans ce monde, ni dans l'autre.

Les fous ou les malades mentaux prétendent avoir des visions, entendre des voix, et d'autres choses

Au nom de Dieu clément et miséricordieux
Si tu veux comprendre l'essentiel de la religion
Suis les principes et croyances que voici :
Premièrement, crois en Dieu qui
est unique, sans égal et invisible,
sans associé, sans naissance et sans mort :
cela suffit à Le définir dans la croyance qui est devenue certitude (sobut).
Deuxièmement, la création, quelle qu'elle soit,
considère-la en bien, car à l'origine elle n'est pas mauvaise.
Toi, tâche d'éviter de semblables actions.
De même, les hommes de bien, quels qu'ils soient et quel, que soit leur rang.
Tu dois les respecter, tels qu'on les connaît.
Troisièmement, en tout temps et en tout lieu
ce qui est considéré par les sages comme bon,
qui engendre l'ordre et la paix
pour les hommes, qui dérive de Ḥaqq[1],
pratique-le pour toi et pour les hommes
(et) de ce qui est contraire à Ḥaqq, éloigne-toi.
Après cela, n'importe quelle religion que tu aies choisie
et qui ne soit pas contraire à ces principes
t'est permise, mais à condition
qu'avec foi tu appliques ses commandements.
Nur 'Ali fit des recherches, et trouva cela
(qui) est certainement l'essence de toute religion.

1. Ḥaqq a plusieurs sens : l'un des Noms de Dieu ; justice et droiture ; vérité et exactitude ; tout ce qui est opposé à l'erreur ; nécessaire et méritoire.

encore ; la distinction entre les phantasmes et les vraies visions spirituelles est facile à faire : un déséquilibré n'a pas une pensée cohérente ; ses sensations varient à chaque instant, et de ses paroles on ne peut rien conclure de précis ; ceux qui suivent la vraie voie spirituelle sont tout à fait normaux, sans le moindre signe de déséquilibre mental ou psychique, sans aucune manie, ou aucune bizarrerie. Ils ne parlent de leurs expériences que s'ils sont certains qu'on ne les prendra pas pour des fous ; ils sont toujours simples et clairs et leurs idées aussi bien que leur comportement inspirent le respect.

La règle d'or de la communication avec les âmes est qu'on ne peut en tirer profit que sous la direction d'un vrai maître, ou si on a acquis des connaissances exactes du monde métaphysique dans une école spirituelle authentique.

Ceux qui suivent le chemin du perfectionnement n'éprouvent aucunement le besoin de prendre contact avec les âmes, et ne les recherchent jamais, excepté lorsqu'il s'agit des âmes d'êtres parfaits, tels que les saints ou les prophètes, qui les aident à résoudre leurs problèmes spirituels.

Les rêves

Il existe trois sortes de rêves :

— les rêves de l'intellect et du psychisme,

— les rêves purement spirituels,

— les rêves où ces deux aspects sont liés.

Les hommes qui sont dominés par leur soi impérieux font presque uniquement des rêves intellectuels ou psychiques. Ce genre de rêve est facile à identifier : ils sont l'expression des instincts et des passions, ou encore dépendent d'états physiques, comme par exemple une mauvaise digestion. Mais c'est surtout par leur effet qu'ils se distinguent des rêves spirituels : ils n'ont aucun sens et n'indiquent rien qui concerne l'âme ; leur signification est uniquement psychique. En conséquence, ils n'affectent et ne marquent pratiquement pas la personne, qui n'en garde, en général, aucun souvenir durable.

Au contraire, plus un rêve revêt une signification spirituelle, plus il est impressionnant, et plus son effet est durable. Ce sont ces rêves qui nous touchent en profondeur et restent vivants en nous durant des années, ou durant toute la vie.

Les rêves de ce type ont besoin d'être interprétés par un maître, car leur sens profond s'exprime à travers des symboles qui sont propres à chacun. Puisque nous n'avons pas une connaissance parfaite des choses et des vérités éternelles, les rêves prennent des formes qui nous sont particulières. Par exemple, on rêve de Jésus sous les traits qu'on lui prête, mais parvenu à l'étape de Vérité, on le verra sous les traits qu'il avait réellement. Pour certains, le serpent est le symbole du moi impérieux et pour d'autres, c'est le loup ou autre chose : chacun recevra un message dans les symboles qui lui sont propres.

Donc, d'une manière générale, on est plus apte que tout autre à interpréter ses propres rêves. Pourtant, nous ne connaissons pas le sens ultime de nos rêves, nous n'avons conscience que d'une infime partie du processus spirituel qui prend forme dans notre esprit. L'âme peut être soumise à des épreuves considérables, alors que le rêve prend une forme synthétique ou fragmentaire. Il est seulement donné aux êtres parfaits de voir la réalité totale de leurs rêves. Les hommes ordinaires n'ont pas le droit ni la capacité de se souvenir de tout ce qu'ils perçoivent

TROISIÈME PARTIE

XXIV
La pénitence

En dehors de quelques cas particuliers, c'est uniquement dans le monde d'ici-bas qu'il est possible de racheter ses fautes ou, au contraire, de perdre par celles-ci le bénéfice de ses bons actes. Par la pénitence, nous pouvons effacer nos fautes, de sorte qu'aucune âme n'en voie plus la trace ; seul Dieu connaît toujours toutes nos fautes, mais il pardonne. Celui qui a réussi à effacer toutes ses impuretés et domine totalement son soi impérieux est devenu transparent, et à travers lui rayonne la lumière divine : il est parfait.

La pénitence peut effacer le péché, mais sous certaines conditions :

— Il est absolument indispensable d'éprouver le remords et le repentir de toute son âme et de tout son cœur. Il faut acquérir l'horreur et le dégoût de sa faute, et s'efforcer de la réparer. Il ne faut jamais récidiver, car en répétant la faute pour laquelle on a fait pénitence, on aggrave considérablement son cas. De plus, il faut avoir l'espoir de vivre encore : si quelqu'un se sait atteint de maladie mortelle, sa pénitence ne sera pas acceptée ; elle ne le sera que pour celui qui ne sait pas quand il mourra, et qui a l'espoir de vivre, quel que soit son âge. Si un homme fait pénitence en sachant, ou en supposant sa mort prochaine, sa pénitence est nulle, même s'il s'est trompé et vit encore cinquante ans, car elle est une façon de vouloir duper Dieu. Par contre, s'il a l'espoir de vivre, s'il fait pénitence sans penser à sa mort et meurt un instant après, il sera pardonné.

Dieu est Miséricorde et Justice, inséparablement, mais Sa bonté précède Sa justice et c'est toujours du côté de la Grâce que penche la balance divine, car aucune créature n'est capable de supporter Sa stricte justice. Aussi Dieu peut-Il accepter jusqu'à *trois fois* la pénitence pour le même acte. Mais le pécheur qui a récidivé éprouve chaque fois plus de peine à lutter contre la tentation. Et s'il fait pénitence en doutant de la fermeté de son vœu, il sera enclin à récidiver encore après ses trois vains repentirs... Le châtiment alors sera sévère, mais il ne faut jamais désespérer.

La pénitence est une demande adressée directement à Dieu, et à nul autre, sans intermédiaire. C'est un pacte entre le cœur et Dieu. Il est inutile d'indiquer par des mots ce qu'on veut se faire pardonner. Comme la pénitence consiste surtout à ne plus recommencer sa faute, il suffit d'acquérir l'horreur absolue de cette faute et de ne pas récidiver. Qu'on s'adresse à Dieu avec des paroles importe peu, car Lui connaît nos intentions et n'a pas besoin des mots.

XXV

Prière et abandon

Toute créature est en rapport direct avec Dieu, grâce à la parcelle divine déposée en lui, et sans laquelle il serait immédiatement réduit à néant. C'est ainsi que Dieu communique avec tous les êtres, répond à chacun et connaît l'état de chacun. Lorsqu'on a atteint un certain degré de perfection, on prend conscience de cette parcelle divine, mais avant de parvenir à ce stade, on possède déjà ce lien et on en bénéficie sans s'en rendre compte. Les hommes sont comme endormis, alors qu'ils sont créés pour devenir conscients de ce lien. Dieu se trouve donc en chacun de nous, et celui qui se connaît connaît Dieu.

La prière est le moyen de se mettre en communication avec Dieu, d'établir cette relation directe. Plus on se concentre, plus on prend conscience de ce rapport, à condition d'être sincère. Il est même possible d'arriver au point où plus aucune distance ne sépare l'âme de Dieu, où la personne s'oublie elle-même et ne voit que Lui. Cet état est momentané, mais quand il est permanent, le but suprême est atteint.

On peut prier en actes aussi bien qu'en paroles : être charitable envers autrui, ne jamais médire de personne, se rendre utile à la société, c'est là la prière de base. Pour celui qui ressent un véritable amour de Dieu, il existe des prières et des mots ; au commencement, ces mots ne viennent pas facilement, mais une fois qu'on a senti ce qu'est Dieu ils viennent d'eux-mêmes. Dans un premier temps, on essaye de se concentrer sur Lui en prononçant des paroles sacrées, des paroles par lesquelles prient les saints : c'est la méditation-prière. Il va sans dire que la prière du cœur n'a rien à voir avec les procédés de concentration profanes qui ne sont que des techniques pour obtenir quelques résultats particuliers. Il faut rendre Dieu présent, Le sentir près de soi ; si l'on n'y parvient pas, on s'approche de Lui par la pensée et les actes.

La plupart des hommes ont déformé le sens de la prière. Du point de vue de la prière, toutes les religions se ressemblent puisqu'elles demandent la même chose au « Bon Dieu ». Bouddha, Jésus ou Mohammad n'ont jamais dit de prier pour obtenir la puissance, l'argent, la santé, des enfants, un bon gouvernement, et, pour finir, le paradis. Ce ne sont certainement pas là les recommandations des prophètes. Il faut laisser Dieu faire ce qu'Il a jugé bon pour nous et ne rien Lui demander. La prière ne doit jamais être impérative, et nous ne devons jamais demander telle ou telle chose. C'est en effet une insulte à Dieu, un manque de respect et de confiance que de Lui faire part de nos vœux ; cela signifie que nous croyons mieux juger de nos intérêts que Lui-même. Dieu sait très bien de quoi nous avons besoin, et si nous Le laissons juger de ce qui est bon pour nous, il ne nous coûte rien de l'obtenir, alors que si nous insistons pour avoir ce que nous voulons, nous entamons notre trésor spirituel. Pour ceux qui s'attachent seulement à l'exotérisme de la religion, il n'y a pas de mal à préciser les souhaits, à condition de ne pas insister, et de se satisfaire du résultat, quel qu'il soit.

Evidemment, la prière d'un Fervent de Dieu est exclusivement une façon de s'approcher de Lui, et il ne demande jamais rien d'autre que le salut de son âme, c'est-à-dire « vouloir Dieu pour Dieu ». Quand on aime un être, on ne recherche aucun avantage ou privilège, on l'aime pour ce qu'il est.

Il faut faire très attention de ne pas demander notre récolte en ce monde, sans quoi, dans l'autre monde, il ne nous restera rien. Ainsi, parmi les hommes richissimes, beaucoup ont voulu récolter dans ce monde ce qu'ils avaient semé, et c'est pourquoi il leur a été donné l'argent et la puissance ; mais à leur mort il ne leur reste plus rien. Il vaut mieux se contenter de semer en ce monde et de récolter dans l'autre, sans rien demander à Dieu. S'Il a voulu nous donner la fortune sans que nous l'ayons convoitée, il n'y a pas de mal à cela : on a vu de vrais saints qui étaient riches et puissants, mais ils n'étaient pas attachés à ces biens matériels et n'en usaient que pour aider leurs semblables.

Dans nos prières, nous devons uniquement demander pour nous ou pour autrui ce que veut Dieu. La seule exception concerne les prières pour les personnes mortes. Il est possible et même recommandé d'accomplir des actes de bienfaisance ou de dévotion dont on offre le résultat spirituel à l'âme du mort, pour lui venir en aide dans le monde invisible, car les deux mondes communiquent, et il faut faire la charité dans l'autre aussi. Il est bon d'agir ainsi, car les âmes des morts ne peuvent plus rien faire par elles-mêmes pour améliorer leur condition. Dieu donnera alors deux fois plus, car il récompensera aussi celui qui agit en toute sincérité. Par contre, il n'est pas recommandé de faire de telles prières pour les personnes vivantes, car si l'on demande quelque chose pour soi ou pour autrui, cela sera déduit de notre trésor spirituel. La seule prière possible pour les autres est celle-ci : « O Dieu je Te prie afin que Tu fasses tout ce que Tu juges bon pour telle personne. » Les vrais saints prient aussi pour toute l'humanité, pour le salut de toutes les âmes dans les deux mondes. La meilleure prière est de demander pour autrui, comme pour soi, de rester dans la bonne voie et d'avoir la foi.

Celui qui est dominé par l'âme angélique devient pur comme un enfant. Si Jésus a dit : « Le royaume des cieux appartient aux enfants », c'est pour résumer l'état proche de la Perfection. Cet état est comparable à celui de l'enfant qui ne hait personne, ne ment jamais, ignore l'orgueil, la luxure, la vengeance, et déteste toutes les tendances mauvaises de l'homme. Etre comme un enfant, c'est être innocent de tout péché et avoir un corps pur. Le caractère dominant d'un enfant est d'aimer tout le monde, et par-dessus tout ses parents. Tel l'enfant qui a une confiance absolue en ses parents, et ne s'appuie que sur eux en toutes circonstances, celui qui a réveillé son sixième sens et qui se connaît lui-même, voue une confiance totale à Dieu.

La première condition pour entrer dans la voie du perfectionnement est d'être un monothéiste absolu. Celui qui réellement ne désire que Dieu, ne croit qu'en Dieu, celui-là est presque parfait. Et lorsqu'il s'adresse à Lui, il prie en ces termes :

« O Dieu, je ne veux que Toi, rien que Toi. Aide-moi à faire ce que Tu veux, ce que Tu aimes que je fasse. »

Le Saint Imâm 'Ali priait ainsi :

« O Dieu, je ne Te prie pas parce que j'ai peur de l'enfer,

je ne Te prie pas parce que j'ai l'œil sur Ton paradis,
je Te prie parce que Tu es digne d'être adoré. »

Il n'y a pas d'autre façon de prier. Pour un saint, prier ainsi est tout à fait naturel. Puisqu'il s'est mis dans les mains de Dieu, comme un enfant dans les mains de son père, il ne Lui demandera rien d'autre. Dieu sait mieux que nous ce qui est nécessaire à notre vie quotidienne, et Il nous le donnera sans que nous le Lui demandions. Il sait ce dont nous avons besoin, tandis que nous ne savons même pas distinguer ce qui est bon pour nous de ce qui est mauvais. Il vaut donc mieux s'en remettre à Dieu et dire : « Mon Dieu, fais ce que Tu veux, j'accepte Ta volonté, quelle qu'elle soit. »

Quoi qu'il arrive, il faut se résigner à la volonté divine ; dans une première phase, c'est par un effort de l'âme qu'on arrive à se résigner et à préférer la volonté de Dieu à la sienne propre. Dans une deuxième phase, cela devient une tendance tout à fait naturelle, et l'effort n'est plus nécessaire. Il y a d'abord lutte entre notre volonté et le vœu de Dieu, puis il n'y a plus de lutte, et les deux volontés s'accordent.

Par exemple, notre *nafs* aime faire une chose proscrite par les prophètes, mais on s'efforce de ne pas transgresser la loi divine. Par un effort de l'âme, on préfère la volonté divine à celle du *nafs*. Puis cela devient un caractère ancré en soi, il n'y a plus d'effort, il semble tout naturel de suivre le vœu de Dieu. Dans cette deuxième phase pourtant, la volonté personnelle subsiste encore. Enfin, dans une troisième phase, la volonté individuelle a disparu, et c'est la volonté de Dieu qui la remplace. Cela ne signifie pas qu'on soit Dieu, mais on est devenu tout à fait transparent, et on laisse passer à travers soi la Lumière divine. On a rejoint Dieu comme une goutte d'eau rejoint l'océan, tout en conservant sa propre unité ; on ne pense que ce que veut Dieu. C'est cela la vraie félicité : rejoindre Dieu, dans cette vie ou dans l'autre.

Les créatures accèdent à la compréhension et aux sensations spirituelles en fonction des étapes de perfectionnement que leur âme a parcourues, et les degrés ou grades spirituels qu'elle a obtenus. Dans la prière et la méditation, on distingue quatre étapes.

Pour l'homme, la première étape de la prière concerne le « corps » et l'intellect. Chaque religion pratique la prière d'une manière qui lui est propre ; c'est l'étape exotérique, fondée sur l'obéissance aux lois rituelles : l'adorateur pratique une oraison rituelle, pendant laquelle il s'efforce de se concentrer sur Dieu, et de chasser continuellement ses autres pensées, mais les mots n'ont pour lui qu'un sens intellectuel et abstrait, et il ne va pas au-delà de ce sens. Le résultat de ces prières, à condition qu'elles soient faites sincèrement, est seulement d'éviter les mauvaises actions, et de se préparer à l'étape suivante.

La deuxième étape de la prière est l'étape angélique. Celui qui prie se sent détaché de la terre, débarrassé du poids du corps et de tous les liens corporels. Il n'a plus à lutter contre ses pensées parasites pour se concentrer sur Dieu, il est aimanté, en quelque sorte, par le monde spirituel. La prière et les mots divins commencent à avoir une résonance et un sens plus véridiques et plus profonds, pénétrant ainsi tout son être. Il y a communication entre le « corps » et l'âme angélique, on se sent en état de grâce, on a la sensation de côtoyer le monde spirituel et d'être dans l'ombre de la présence divine. C'est le début du réveil spirituel. Dans cet état, on est indifférent aux attaches matérielles, aux désirs charnels et aux suggestions du *nafs*.

La troisième étape de la prière est l'état de spiritualité pure et de connaissance du « soi », où l'âme est libérée de son corps, qu'elle oublie. L'adorateur sent qu'un nouvel horizon s'ouvre à lui, dont les beautés et les merveilles dépassent toute imagination humaine, et dans lequel il se meut et observe librement. Il est débarrassé de tout le poids de son corps, et la pesanteur n'a plus d'effet sur lui ; il laisse son corps sur place et déplace son âme à volonté. Dans cet état, la présence de Dieu se précise davantage, et on prend conscience de son « soi ». Celui qui y parvient acquiert la certitude des vérités sur lesquelles il avait fondé sa foi. En connaissant son « soi », il connaît nécessairement l'univers et connaît donc Dieu.

A la quatrième étape de la prière, l'âme est reliée au monde de vérité pure, c'est-à-dire à la proximité de Dieu, dépourvue d'étendue et de dimension. Tout y est parfait à l'état absolu. Celui qui atteint cet état est tellement absorbé par la sensation de bonheur spirituel et d'émerveillement qu'il en oublie tout, même le « soi ». Il nage avec allégresse dans l'océan de l' « Unicité », semblable à un poisson sorti de l'eau et qui s'y plonge à nouveau. L'âme est reliée à Dieu et ne contemple que Lui. Cette étape aboutit à un nouvel état, dans lequel il y a encore trois degrés de sensations à connaître. Ces sensations sont inexprimables : on ne peut rien en savoir si l'on n'y a pas eu accès. Seul un homme ayant atteint la perfection peut connaître ces ultimes sensations. Quant aux autres, ils auront les sensations correspondant aux étapes que leur âme aura déjà parcourues.

On peut résumer ainsi les quatre étapes de la prière : tout d'abord, il s'agit d'une prière corporelle et intellectuelle qui prépare à la deuxième étape.

Puis on prend conscience de son âme, tout en conservant l'impression qu'on a de son corps. A la troisième étape, on découvre le « soi », et lorsqu'on connaît le « soi », on connaît Dieu. Enfin, à la quatrième, le domaine du relatif disparaît, on est dans l'Absolu ; on comprend la vérité des vérités de chaque chose, on est relié à Dieu, et tellement absorbé en Lui qu'on oublie le « soi ». Après cela, il reste encore quelque chose à réaliser pour atteindre la perfection.

Ceux qui sont dominés par leur *nafs* admettent difficilement qu'on doive laisser de côté les plaisirs charnels et mondains pour les joies spirituelles. Ils sont dans une erreur profonde : les jouissances du *nafs* sont incompatibles avec les joies spirituelles. On peut seulement dire que lorsqu'on a ressenti un seul instant de joie spirituelle véridique, les plaisirs de la chair et du *nafs* apparaissent comme dérisoires ; de même, on comprend alors la vanité des faux plaisirs spirituels procurés par des esprits de basse catégorie, obtenus par certaines techniques ou en suivant l'enseignement d'un maître égaré.

La joie spirituelle véridique a pour effet d'engendrer l'amour divin chez l'homme. On aime ses semblables, et l'on n'a plus le désir de mêler quoi que ce soit à l'Unique. A l'inverse, les bas plaisirs spirituels intensifient l'orgueil et créent une accoutumance. L'un est réservé aux Fervents de Dieu, l'autre concerne les esclaves du plaisir. De nos jours, on rencontre de nombreuses personnes qui délaissent provisoirement les drogues, par exemple, pour devenir les adeptes de maîtres vendeurs de plaisirs prétendument spirituels.

XXVI

La connaissance

La base de toute connaissance est la connaissance spirituelle. Toutes les idées existent dans le monde métaphysique, et il suffit de prendre conscience de la parcelle divine qui est en chacun de nous pour comprendre et savoir tout ce que nous voulons. Ainsi, les savants et les inventeurs doivent le plus souvent leurs découvertes à des inspirations subites ou à des circonstances imprévues ; ils se concentrent sur un problème, et après un certain temps ils acquièrent la faculté de capter les vérités et les idées qui se trouvent dans le monde métaphysique. Bien sûr, il faut avoir des connaissances préalables et une disposition particulière pour comprendre le problème que l'on veut résoudre, quoique dans certains cas exceptionnels ce ne soit même pas nécessaire.

De même qu'il faut certaines facultés intellectuelles pour résoudre les problèmes du monde sensible, de même il est indispensable de posséder certaines aptitudes spirituelles pour aborder les problèmes métaphysiques. Les âmes quelque peu avancées sont sensibles aux paroles divines : inconsciemment, elles ressentent leur vérité, alors que pour ceux qui n'ont pas encore réveillé leur sixième sens, les mêmes paroles paraissent absurdes. Quant à ceux qui ont éveillé le sixième sens, ils sont comme des gens qui entendent dans un pays de sourds, et ils ne peuvent faire comprendre aux sourds que le monde qui les entoure n'est pas un monde muet.

Les connaissances concernant uniquement le monde matériel ne sont d'aucune utilité pour parvenir à la Perfection, et le savoir intellectuel n'a aucun rapport avec le degré spirituel. L'âme d'un grand savant peut n'être encore que dans les premiers degrés du perfectionnement et, à l'inverse, des êtres comme Jésus ou Mohammad étaient illettrés.

Le savoir matériel est vain et insuffisant car il s'appuie sur une logique et des sens trop limités, au moyen desquels on ne peut jamais embrasser la totalité. C'est pourquoi tous les savants authentiques finissent par avouer que plus ils avancent dans leur science, plus ils se sentent dans l'ignorance. La science ordinaire n'est pas mauvaise en soi ; elle est utile et peut être spirituellement profitable à celui qui l'emploie dans un but humanitaire, mais il ne faut pas se laisser fasciner par ses prouesses au point d'oublier la science divine, c'est-à-dire tout ce qui permet à l'individu de connaître son soi, de connaître Dieu. Tout savoir ne nous est donné que par Dieu, mais les hommes croient qu'ils ne doivent leur science qu'à eux seuls, alors que la langue et les mots mêmes par lesquels ils s'expriment leur ont été donnés d'En Haut.

Les savants d'autrefois savaient que leurs connaissances étaient des dons divins, et c'est par la relation qu'ils entretenaient avec le monde spirituel qu'ils trouvaient les réponses essentielles à leurs questions. De nos jours, ce n'est plus le cas, et les savants entendent tout trouver par eux-mêmes.

On compte souvent la magie et la sorcellerie parmi les sciences diaboliques. En réalité, magie et sorcellerie sont des sciences parmi les autres et, en elles-mêmes, ne sont ni bonnes ni mauvaises : tout dépend de leur utilisation. Elles sont néanmoins déconseillées formellement aux élèves du perfectionnement. On a coutume de distinguer la magie blanche de la magie noire, mais, spirituellement, il s'agit d'une seule et même duperie. Autrefois, la magie était une science, mais elle a progressivement dégénéré, de sorte qu'aujourd'hui il n'en reste rien de bon. Quant à la magie des peuples primitifs, c'est un autre problème. Qu'on sache simplement que la voie qui mène à Dieu n'a aucun rapport avec celle de la magie. De toute façon, celui qui approche de la Perfection neutralise complètement les pouvoirs des magiciens, comme le fit Moïse par exemple, et aucune magie n'a d'effet sur lui.

La connaissance spirituelle englobe tous les savoirs. Un homme arrivé à la Perfection connaît absolument tout et, pour lui, l'inconnu n'existe plus. Un homme parfait connaît les formules les plus compliquées de n'importe quelle science de la terre ou des autres planètes qui ont été découvertes, que l'on découvrira ou que l'on ne découvrira jamais. Mais pour lui, ces connaissances concernant le monde matériel sont si prosaïques qu'il ne s'abaisse pas à s'en occuper, de même qu'il serait déshonorant pour lui de faire un miracle sans l'ordre de Dieu. Pour un homme parfait, il serait ridicule de se faire valoir de quelque façon que ce soit, parmi les hommes, et de s'occuper des petits problèmes de la science matérielle.

Plus on approche de Dieu, plus on approche de la vérité, du réel et de la logique. Dans toute formule de physique, il y a des causes d'erreur, alors que dans l'univers, dans le mouvement des planètes, il n'y a aucune erreur, aucun désordre ; un calcul précis règne sur toutes les créatures, sans exception. Lorsqu'on a l'œil ouvert, on ne trouve pas un atome de l'univers qui ne dépende de Dieu. Il est partout, Il est l'existence même, et s'Il n'était pas, rien n'existerait. Si Dieu est partout, l'irrationnel, l'absurde et l'erreur ne peuvent exister dans l'univers. Plus on s'approche de Dieu, plus disparaissent les causes d'erreur, et lorsqu'on est parfait, on comprend que tout ce qui existe émane de la Perfection même. Un des noms divins est « Celui qui ne commet pas d'erreur ». Pour celui qui reflète l'Essence absolue, l'erreur n'existe plus.

XXVII
Les miracles

Lorsqu'on parle de miracles, il faut faire la distinction entre ceux qui ont pour cause une connaissance et une pratique de certaines forces inexplorées de la nature et de l'homme, et ceux qui sont un don de Dieu et un moyen de Le servir.

Il y a en chacun de nous des forces extraordinaires et de natures très variées, qu'on peut réunir sous le nom de force créatrice. Mais cette force créatrice est différente de celle qui réalise les vrais miracles, puisqu'elle crée des choses explicables par les lois de la nature. Nous sommes un univers en miniature et les forces qui existent dans la nature existent aussi en nous-mêmes. Il est donc possible à l'homme de dompter ces forces et de les employer pour l'usage qu'il veut, mais ce n'est pas toujours le signe d'un perfectionnement spirituel. La science progressera et trouvera un jour quelles sont les forces qui produisent des effets tels que la guérison ou la suppression de la pesanteur, et elle arrivera aux mêmes résultats.

Beaucoup de prétendus miracles ne sont que le fruit d'un long travail pour arriver à développer, contrôler et diriger une force naturelle qui réside en nous-même. En s'exerçant pendant un certain temps, on peut apprendre à s'enterrer vivant, arrêter un train en marche, communiquer les pensées, s'élever dans les airs, etc. Certains se fixent un de ces buts et sont prêts à tout pour y arriver. Si pour parvenir à ce qu'ils désirent ils doivent être vertueux, ils le seront, et s'ils doivent être mauvais, ils le seront aussi. Ils n'agissent pas pour Dieu ou pour le salut de leur âme, mais pratiquent un art et étonnent les foules. Celui qui exhibe ses pouvoirs en public le fait parce qu'il est poussé par son *nafs* ; celui qui montre sa force montre son *nafs,* car c'est la volonté de puissance qui l'a poussé à apprendre son art, et l'orgueil qui l'incite à le dévoiler. Apprendre à se faire enterrer vivant ou à léviter ne mène à rien : c'est un exercice corporel, un sport ; le plus souvent, le résultat est très limité et demande d'ailleurs des préparations préalables parfois très longues. De toute façon, après la mort, il ne reste rien de ces pouvoirs à celui qui les a pratiqués, et il ne reçoit aucune récompense pour cela. En Inde, notamment, on rencontre beaucoup de ces faiseurs de petits miracles, qui présentent des caricatures des valeurs spirituelles. Mais il n'en existe pas moins de vrais yogis dont le but est le perfectionnement de l'âme et qui ont choisi de vivre ignorés de tous, dans des endroits cachés, bien qu'il ne soit pas nécessaire de se retirer du monde et qu'il vaille mieux avancer dans la voie au milieu des hommes.

Un grand nombre de personnes, unies de cœur et priant ensemble, peuvent réaliser de vrais miracles. Cela est possible parce que les parcelles divines qui sont en chacun s'accumulent et produisent une grande énergie. De même, il suffit que des gouttes d'eau rassemblent leur force sous l'effet du gel pour faire éclater un rocher.

Certains se réunissent pour concentrer leurs forces psychiques dans un but matériel, et non dans une intention pure, mais les résultats qu'ils obtiennent ne sont pas de la même nature que les miracles engendrés par la force d'amour et de foi qui unit les hommes.

Si les gens se rendent sur les lieux de pèlerinage, ce n'est pas seulement parce que ces lieux sont privilégiés, mais aussi pour l'ambiance, créée par cette accumulation d'énergies, qui favorise les miracles. Cependant, certains lieux saints sont empreints d'une force qui s'ajoute aux précédentes et facilitent les miracles et la communication avec le monde spirituel. Il est même possible qu'un lieu accomplisse par lui-même un miracle, car un endroit où un saint a laissé son empreinte est gardé par une âme chargée d'établir un contact entre les pèlerins et le saint. La nature du lieu intervient donc, mais des résultats identiques peuvent être obtenus dans n'importe quel endroit. La terre, le climat, les conditions géographiques jouent un rôle, mais la volonté divine domine tout, et un saint peut, s'il veut, rendre favorable un lieu hostile. En effet, un homme arrivé à l'état de perfection est doué d'une telle puissance qu'il peut laisser partout où il passe des traces bienfaisantes, plus ou moins profondes selon sa capacité. En revanche, comme les actes sont enregistrés par tout ce qui nous entoure, certains lieux portent la marque d'événements pénibles ou de mauvaises actions, et l'on ressent parfois l'impression désagréable qui s'en dégage. Néanmoins, la force divine domine tout, si bien que de tels lieux peuvent être purifiés par des actes spirituels.

De même qu'on peut imprégner un lieu, on peut imprégner un objet et le charger d'un pouvoir. Des êtres de rang spirituel très élevé, comme certains prophètes et certains saints, peuvent conférer de telles propriétés à un objet, soit provisoirement, soit, en général, définitivement.

Les êtres parfaits ont tous les pouvoirs, sans jamais les avoir cherchés, et sans avoir besoin ni de préparation ni de concentration. Ils peuvent même, à leur gré, créer des êtres semblables à eux en tous points et les envoyer en plusieurs endroits à la fois. Mais ils ne font jamais rien sans avoir été investis d'une mission divine, car ils ne transgressent pas sans l'ordre de Dieu la loi cause-moyen-effet qui régit tous les phénomènes naturels. On ne remarque pas ceux qui travaillent à leur perfectionnement. Ils n'en parlent pas, ne se révèlent pas et n'ont aucune envie de le faire, à moins d'en avoir reçu l'ordre : plus on s'approche de Dieu, plus on devient discret et humble.

XXVIII

Les vrais miracles

Les miracles des saints et des prophètes sont d'une nature absolument différente des phénomènes provoqués par des pratiques d'ordre magique ou autre. Les saints et les prophètes sont des êtres élus pour éveiller les hommes et leur venir en aide. Lorsqu'ils font un miracle, ils montrent leur supériorité, non pour en tirer une satisfaction personnelle, mais pour que leurs paroles frappent davantage les esprits et pour qu'on les écoute avec foi. Comme leurs paroles ne renferment que des vérités spirituelles abstraites et invérifiables par le commun des mortels, le miracle est la garantie de leur authenticité, et une image de la toute-puissance divine.

Un prophète sans miracle n'est pas un prophète, sans quoi il aurait été facile de se dire prophète, d'écrire des livres, de prêcher, de faire sous le nom de miracles des prodiges laborieusement préparés. Aussi Dieu a-t-il donné à chaque prophète une certaine force, et le pouvoir d'accomplir des miracles. Tous les prophètes savent que ce don des miracles leur a été donné et n'est pas un talent humain, c'est pourquoi ils ne font jamais un miracle sans dire « au nom de Dieu », ou « par la grâce de Dieu ».

Le miracle transcende toujours un domaine qui est considéré comme parfaitement connu de ceux auxquels il s'adresse. Par exemple, du temps de Moïse, c'était la magie, du temps de Mohammad la langue arabe, etc.

Un vrai miracle est inexplicable par les lois de la nature, et ni la science ni la magie ne pourront jamais l'imiter. Les miracles des prophètes outrepassent les lois que Dieu a fixées pour la création, et ne peuvent être accomplis sans Son ordre. Un vrai miracle est réalisé sans aucune préparation préalable et sans moyens. Sans qu'il ait jamais appris à le faire, Moïse dégageait une lumière de ses doigts, et son bâton se changeait en serpent, autant de fois qu'il le voulait, et sans aucun effort de concentration. C'était un don contre lequel personne ne pouvait lutter ; les sorciers du pharaon réussirent bien, après de longs préparatifs, à créer des serpents, mais celui de Moïse les dévora tous. Les magiciens étaient donc désarmés devant la puissance de Moïse parce qu'elle venait de Dieu, alors qu'eux obtenaient leur force en combinant d'une certaine façon des lois naturelles. Les sorciers reconnurent tous l'abîme qui séparait de leurs artifices le pouvoir divin de Moïse, et ils se soumirent et se convertirent aussitôt à la vraie religion.

Le plus grand miracle de Mohammad fut de dicter le Coran. A son époque, la langue et la littérature arabes étaient parvenues à un apogée, mais Mohammad, pourtant illettré, dicta le Coran qui, rien que du point de vue de la forme, est le plus grand chef-d'œuvre de la langue arabe. Il fallait un signe indubitable pour confondre les ennemis du Prophète, qui niaient l'authenticité du Livre Saint. Or, comme il est écrit dans le Coran : « Si vous doutez du Livre qui a été révélé à notre serviteur, apportez une sourate (un chapitre) semblable à celles qu'il renferme. » (II.22.) Les plus grands savants et poètes n'ont donc jamais pu inventer un seul chapitre qui ressemble à une sourate du Coran sans qu'on en remarque la différence. C'est pourquoi, bien qu'on ait amputé le Livre de certaines parties, on n'a jamais pu y ajouter une seule phrase. Le Coran de Mohammad est un vrai miracle, car il ne saurait être imité ni expliqué que par une inspiration divine.

Quant aux miracles de Jésus-Christ, ceux qui les nient doivent savoir que les sceptiques et les adversaires du prophète choisissaient des cas inguérissables pour le mettre à l'épreuve et vérifier l'authenticité de ses miracles. Ressusciter des morts, rendre la vue à des aveugles de naissance et beaucoup d'autres choses que faisait le Christ sont de véritables miracles. Personne ne peut faire revenir une âme dans son corps sans la permission et le pouvoir de Dieu. Dans la nature, lorsqu'un être est mort, il est définitivement mort et son âme a quitté son corps. Jamais la science ne pourra ramener un vrai mort à la vie, car l'âme qui donne la vie n'est pas sous notre ordre, mais sous l'ordre de Dieu.

Les saints et les prophètes ne peuvent accomplir de miracles qu'en s'adressant à Celui qui leur a confié leur mission. Ainsi, les apôtres faisaient leurs miracles au nom du Christ. Seuls les *Vali* qui reflètent l'Essence Absolue peuvent faire directement tous les miracles qu'ils veulent sans intermédiaires, car c'est l'Essence divine qui accomplit tous les miracles, et cette Essence est en eux, soit « en hôte » *(zât mehmân),* soit définitivement *(zât bashar).*

Les *Vali,* ces êtres parfaits, qui sont à la suite des prophètes les guides ésotériques pour toute l'humanité, ne s'adressent pas aux foules et n'ont pas, en général, pour mission de faire des miracles : leur existence est déjà un miracle. Le temps des prophètes, qui s'adressaient à tous et accomplissaient des prodiges pour tous, est révolu. A notre époque, leurs miracles n'étonneraient plus personne, car le degré d'étonnement qu'ils provoquent varie selon le temps et les circonstances. Si, de nos jours, les gens voyaient un livre se transformer en tapis volant, ils n'auraient pas pour autant la foi en Dieu : ils ne s'intéresseraient qu'à la façon de procéder, et ils seraient détournés de la vérité par l'aspect amusant et curieux du phénomène.

L'époque de ce genre de miracles est passée. Les hommes sont devenus tels que ces miracles ne les forceraient pas à croire en Dieu et à Lui obéir. Ils ne peuvent plus suivre aveuglément les traces des saints, car ils ont besoin de comprendre, de connaître le but, le comment et le pourquoi, avant de s'engager sur le chemin de la Perfection.

Le vrai miracle, à notre époque matérialiste, est que les questions spirituelles puissent encore toucher le cœur de certains, alors que ni le milieu ni l'ambiance ne s'y prêtent. C'est ainsi qu'on voit des gens s'intéresser à ces problèmes difficiles, abstraits et austères, et être prêts à tout laisser pour suivre la Voie. Si quelqu'un en arrive là, s'il peut nager à contre-courant et persévérer, c'est un vrai miracle. Qu'un homme dans le doute entende un maître spirituel authentique lui parler de Dieu et uniquement de Dieu, sans aucune promesse de plaisir matériel ou spirituel et que par la suite, cet homme renonce à tout plutôt que de s'éloigner de Dieu, c'est là un vrai miracle. La foi est une chose qu'il est impossible de contester, d'expliquer ou d'imiter. Qu'un homme incroyant et mauvais devienne un saint sous l'effet d'une seule parole ne relève que d'un pouvoir divin.

XXIX
Les religions

Toutes les vraies religions reposent sur la même base : elles affirment toutes l'existence du Dieu unique, l'existence de l'autre monde, le Jugement dernier pour l'âme et d'autres vérités encore. Elles reconnaissent les miracles des prophètes et sont d'accord en ce qui concerne le bien et le mal.

Toutes les religions ne font qu'une, car Dieu est unique ; Ses prophètes ont puisé leurs connaissances à la même source et ont reçu les mêmes commandements. Les religions des prophètes se complètent, et il n'y a jamais une seule contradiction ou divergence entre elles. Seul le réveil des facultés spirituelles, qui nous permettent de sentir et comprendre Dieu, nous éclaire sur la religion, la nature des prophètes et la source à laquelle les envoyés ont puisé les ordres et les révélations de Dieu.

Dans une vraie religion, il y a toujours un aspect exotérique et un aspect ésotérique. Le but essentiel des prophètes était de faire comprendre au monde cet aspect ésotérique. L'exotérisme n'avait qu'une importance secondaire et constituait une étape préparatoire à l'ésotérisme.

Dieu est unique et le chemin de la perfection est le même pour tous. Mais la religion de Dieu et des prophètes s'est transformée en religions des hommes, chacune divisée en diverses branches, elles-mêmes divisées en sectes, sans parler des fausses religions et des faux maîtres qui apparaissent partout et disparaissent sans laisser de traces durables.

La cause de ces contradictions, querelles et déchirements est toujours la même : se servir de la religion pour le profit personnel, c'est-à-dire satisfaire, sous le couvert de la spiritualité, les désirs du *nafs*.

Chaque croyant est convaincu que sa religion est la seule à détenir la vérité, et que les autres sont dans l'erreur. Certains vont même jusqu'à prétendre que seuls les adeptes de leur religion gagneront le paradis, ce qui est enfantin, car si Dieu est juste comme ils le disent, où vont ceux qui n'ont jamais connu cette religion ? Quant à leurs descriptions du paradis, elles correspondent souvent aux désirs corporels qu'ils n'ont pas satisfaits sur terre. C'est pourquoi beaucoup de sceptiques préfèrent se faire leur paradis ici-bas. Les uns sont idéalistes, et les autres plus réalistes, mais tous deux ont les mêmes désirs et sont poussés au péché par ces enfantillages.

On en est arrivé à ce point parce qu'on a complètement oublié l'aspect ésotérique, intérieur, des religions, et que l'on n'a plus aucune idée de la vérité qui se cache au-delà de l'exotérisme. L'ésotérisme concerne les lois du perfectionnement de l'âme, qui est immortelle, et l'exotérisme les lois utiles au corps, qui est mortel. Il est évident que cet aspect exotérique des religions change selon les époques, les cultures et les civilisations ; il est donc normal que les gens qui ne pratiquent que l'exotérisme trouvent des différences entre les religions. Au contraire, l'ésotérisme, le fond des religions, est toujours le même, et ceux qui s'appliquent à en suivre les principes se soumettent aux mêmes lois et ne voient aucune différence entre les religions. Ils savent que les prophètes comme

Zoroastre, Moïse, Bouddha, Jésus ou Mohammad ont tous été envoyés par le même Dieu unique et qu'il n'y a aucune contradiction entre eux en ce qui concerne l'ésotérisme ; simplement, certains d'entre eux se sont plus attachés que d'autres à en développer l'enseignement.

En ce qui concerne la technique de la prière, le jeûne, la façon de vivre ensemble, le mariage, le commerce, etc., il y a, bien entendu, quelques divergences secondaires. Dans une civilisation évoluée, où la loi est respectée collectivement par souci moral, on peut se passer d'une grande partie de l'exotérisme, car tout le monde sait qu'il ne faut pas tuer, voler, mentir, etc. Si le but de la religion était simplement de conserver une vie terrestre, le matérialisme serait aussi une religion ; et si vraiment certains dirigeants avaient obtenu, comme ils le prétendent, l'égalité dans la société sans avoir besoin de Dieu, ils seraient supérieurs à nos prophètes.

La religion a été essentiellement créée pour la perfection de l'âme, mais comme à l'époque des prophètes il n'y avait d'autres lois que celles de la religion, ils ont aussi donné des lois à appliquer. Ces lois, à mesure que la société se civilise, ne se fondent plus sur la religion, mais sur le sens moral.

Il faut donc savoir quel est le vrai but de la religion. Si elle n'a pas un but vraiment spirituel, la religion n'est pas autre chose qu'un parti politique, ayant pour objectif que tout le monde soit heureux, mange bien et dorme bien, etc. L'enseignement religieux actuel a complètement dévié : on a perdu la connaissance du perfectionnement et on n'enseigne plus que la morale. On dit que nous sommes sur terre pour bien vivre ensemble, on pousse les gens à être simplement de bons citoyens, à respecter les lois et à se rendre service les uns aux autres, et on déclare que les bons citoyens iront au paradis. Ce qu'enseigne une telle religion, c'est seulement la discipline ; mais il ne suffit pas d'être un élève calme et discipliné pour réussir un examen : il faut encore étudier et comprendre.

De nos jours, un nouveau fléau, bien pire que l'incroyance absolue, menace l'humanité : c'est l'apparition de nouvelles religions et de fausses voies, de nouveaux prophètes et de livres prétendument révélés, le tout appuyé par une forte publicité. Profitant de l'ignorance spirituelle des gens, les promoteurs de ces nouvelles religions prétendent que tout est dans ce monde, et ils promettent d'assurer le bien-être matériel et beaucoup d'autres choses qui n'ont rien à voir avec le but essentiel de la religion : le perfectionnement de l'âme.

Le seul moyen d'échapper à leur duperie dangereuse, voire fatale pour l'âme, est de vouloir et aimer Dieu pour Dieu, et non pas pour satisfaire notre *nafs*.

Pour juger si une religion ou une voie ésotérique est révélée ou inventée par les hommes, il faut voir s'il s'y trouve des contradictions. Lorsqu'il n'a pas une communication directe avec la Vérité, l'homme essaye de la découvrir en jouant avec les mots, mais son cerveau est trop faible pour ne jamais se contredire. Au contraire, si on avait en main tout ce qu'ont vraiment dit Moïse, Zoroastre, Bouddha, Jésus ou Mohammad, on ne trouverait aucune parole contradictoire dans leur enseignement, car ils ont tous puisé la connaissance à la même source. S'il y a des disputes et des divergences entre les adeptes de ces différentes religions, c'est parce que, actuellement, on ne pratique plus la religion des prophètes mais la religion des hommes.

XXX

Les différents niveaux de la religion

Toute religion comprend, d'une part, des principes fondamentaux, et d'autre part des éléments accessoires. Si ces principes s'altèrent, la religion perd toute sa valeur et son efficacité spirituelle, mais si seuls les « accessoires » s'altèrent, cette religion subsiste malgré tout. Les principes fondamentaux des religions concernent la spiritualité, la voie de la perfection et la métaphysique ; les principes accessoires concernent seulement la vie sociale, le respect d'autrui et la purification morale. Dès la création du premier Adam, du premier homme, qui fut aussi le premier prophète, ont été révélés, dans la religion, les lois de la connaissance de Dieu et les moyens d'arriver à Lui. Puis ces mêmes principes furent enseignés par des guides missionnés avec des moyens différents, et avec des « accessoires » variant en fonction du temps et du lieu.

Les principes d'une religion doivent coïncider avec les trois points énoncés par Maître Elâhi :

— Premièrement, crois en Dieu qui est unique, sans égal et invisible, sans associé, sans naissance et sans mort : cela suffit à Le définir dans la croyance qui devient certitude.

— Deuxièmement, la création, quelle qu'elle soit, considère-la en bien, car à l'origine elle n'est pas mauvaise. Toi, tâche d'éviter de semblables actions. De même, les hommes de bien, quels qu'ils soient et quel que soit leur rang, tu dois les respecter, tels qu'on les connaît.

— Troisièmement, en tout temps et tout lieu, ce qui est considéré par les sages comme bon, qui engendre l'ordre et la paix pour les hommes, qui dérive de *Ḥaqq,* pratique-le pour toi et pour les hommes et de ce qui est contraire à *Ḥaqq* éloigne-toi.

Comme les principes des vraies religions sont les mêmes, il faut choisir sa religion en fonction des « accessoires » ; on choisira donc celle dont les rites conviennent au temps présent, sont réalisables et praticables.

Malgré son nom, il ne faut pas croire que la voie *Ahl-e Ḥaqq* (Fervents de la Vérité) soit la seule vérité, car le Vrai *(Ḥaqq)* est le sommet de la voie spirituelle, le lieu de l'Unicité. Quelle que soit sa religion, à condition d'en connaître parfaitement les lois et de les mettre en pratique, le croyant peut arriver au Vrai, à Dieu, qu'il soit zoroastrien, juif, chrétien, etc. Cependant pour un *Ahl-e Ḥaqq* qui met vraiment en pratique les lois de sa religion, la voie est plus courte.

Pour celui qui veut rejoindre Dieu, il n'y a donc qu'une voie : celle des prophètes. Dieu a envoyé les prophètes, dotés de pouvoirs extraordinaires, pour nous enseigner le mystère de l'Etre unique, supérieur à tous les êtres. Aussi devons-nous commencer par suivre leurs préceptes et considérer comme bon ce que Dieu leur a indiqué comme tel, et mauvais ce qu'Il leur a défendu.

Chaque vraie religion comporte quatre niveaux :

le premier concerne l'exotérisme, et les trois autres l'ésotérisme.

La clé de la connaissance de Dieu et de tout ce qui nous entoure est en nous. Pour acquérir cette connaissance, il convient de parcourir les trois étapes qui constituent l'ésotérisme de toute vraie religion. La religion est semblable à une amande protégée par une coque ; elle a un intérieur et un extérieur ; le but est d'obtenir l'amande et, pour cela, il faut briser la coque. Pourtant, nombreux sont ceux qui ne voient que la coque et ne soupçonnent même pas l'existence de l'amande.

A l'étape de l'exotérisme *(shari 'at),* on apprend l'obéissance et la discipline, on fortifie sa volonté, on évite tout ce qui est interdit, et on pratique tout ce qui est ordonné. On accomplit les jeûnes et les rites, on prie avec les mots de sa religion, sans demander d'explications. L'exotérisme n'est pas la Voie, mais la porte d'entrée. Lorsqu'on y a acquis volonté et discipline, on est apte à aborder l'étape de l'ésotérisme et les portes de la Voie s'ouvrent. Celui qui n'a pas franchi ce stade préliminaire, dans sa vie présente ou dans une vie passée, ne peut absolument pas s'intéresser à l'ésotérisme ou le comprendre. Par contre, celui qui est allé jusqu'au bout de l'exotérisme d'une religion, prête plus ou moins l'oreille aux vérités ésotériques, et ces vérités trouvent une résonance en son âme.

Dans le premier degré de l'ésotérisme *(ṭariqat),* on commence à parcourir le chemin qui mène au but. Ce niveau englobe les ordres de la *shari 'at* et d'autres ordres un peu plus subtils qui amènent peu à peu à la maîtrise de ses instincts et à la connaissance de soi.

Dans le deuxième degré de l'ésotérisme *(ma 'refat),* on a acquis la conscience de soi et on connaît son Créateur.

Enfin, le dernier degré est celui de la vérité *(ḥaqiqat),* le but final, la Perfection. On a oublié son moi, on ne voit que Dieu, on est une goutte qui rejoint l'océan divin, tout en conservant son identité, et l'on n'a plus rien à faire dans le monde.

Aux stades de *ma 'refat* et de *ḥaqiqat,* il n'y a absolument plus aucune différence entre les religions. Les divergences apparentes décelables dans l'exotérisme disparaissent à ce niveau supérieur. Quelle que soit leur religion d'origine, ceux qui parviennent aux deuxième et troisième degrés de l'ésotérisme ont le même comportement, la même façon de pratiquer les commandements religieux, et les mêmes connaissances spirituelles.

XXXI

La réapparition

Les religions parlent de la fin du monde et de la réapparition sur terre de leur prophète ou de l'un de leurs saints, qui établira la justice, séparera les bons des mauvais et sera reconnu par tous. C'est une façon de voir qui est vraie. Néanmoins, ceux qui suivent la voie du perfectionnement ne se préoccupent pas de cette prédiction, car ils pensent que sans avoir acquis l'œil intérieur, personne ne verra Dieu, ni aucun de ses envoyés. On dit par exemple que Dieu est partout alors que seules quelques exceptions Le voient ; de même, les envoyés de Dieu n'ont été reconnus que par ceux qui possédaient la vision intérieure, et il en sera ainsi, même à la fin du monde. Etant donné que la fin du monde se situe à une date non connue de tous, et que, de plus, cette prédiction elle-même se prête à des interprétations, les Fervents de Dieu laissent de côté l'incertain pour saisir ce qui est à leur portée, c'est-à-dire la possibilité d'acquérir la vision intérieure qui leur permette de voir Dieu ainsi que ses représentants immortels, sans avoir à attendre cette fin du monde promise. Pour eux, la réapparition des prophètes ou des saints est une réalité présente, car il y a toujours sur terre un être, le *Vali,* qui reflète le pouvoir divin. Le *Vali* n'est pas toujours reconnu par un grand nombre, mais ceux qui arrivent à purifier leur cœur et à s'approcher de la Perfection le reconnaissent, quelle que soit leur religion d'origine.

De même, lorsque les prophètes parlent de l'heure du jugement dernier, c'est dans un sens individuel. Quand l'âme dépasse le délai de cinquante mille ans qui lui est imparti, c'est sa propre fin du monde, car elle disparaît du monde matériel ; elle est jugée, et va inéluctablement habiter pour l'éternité le lieu qu'elle a mérité. Cette heure du jugement dernier est si redoutable pour les âmes, qu'on dit que si une montagne devait y comparaître, elle se désagrégerait sous l'effet de la peur.

L'idée de réapparition ou apparition divine *(ẓohur)* à trois sens bien distincts : un sens universel *('amm),* un sens particulier *(khâṣṣ)* et un sens exceptionnel *(khâṣṣ al khâṣṣ).*

La réapparition proprement dite est celle de l'Essence divine, comme elle s'est manifestée à Moïse ou à Mohammad. Ceux qui parlent de la réapparition de leur prophète (Jésus ou le douzième Imâm) ignorent généralement que ce ne sont pas ces envoyés qui sont attendus, mais plus précisément l'Essence divine qu'ils portent en eux et manifeste pour qui sait la voir.

On appelle la réapparition spéciale (ou de « l'élite » *Khâṣṣ)* la descente de l'Essence divine parmi un groupe d'initiés unis de cœur et d'esprit dans une réunion de prière et de *ẕekr* [1]. Ceux qui ont le privilège de contempler alors cette Essence sont noyés dans une extase totale. Dans cet état, certains se taisent, d'autres dansent, ou se jettent dans le feu.

La réapparition exceptionnelle ou « de l'élite de l'élite » *(khâṣṣ al khâṣṣ)* est un phénomène définitif

1. Voir p. 200.

et individuel : lorsqu'une âme parvient au but final par son propre effort ou une prédestination spéciale, elle retrouve sa relation originelle avec Dieu ; vivant en Lui et par Lui, elle est continuellement *dans* la « réapparition », illuminée par l'Essence divine. Une telle âme répand Sa grâce sur tous ceux qui l'approchent. Tel est notamment le cas des *Vali,* les représentants de Dieu.

Dans la réapparition universelle ou commune *('amm),* l'Essence absolue se manifeste d'une façon tout à fait différente. Elle se répand sur toute l'humanité, qui connaît alors ce nouvel âge d'or annoncé et attendu depuis longtemps par la plupart des religions. Cette réapparition sera précédée de signes avertisseurs, qui sont notamment les suivants : affaiblissement de la foi, dégénérescence des religions, perte des vérités fondamentales, agnosticisme, athéisme, guerre et effusion de sang, persécution, maladie, famine, marasme économique, avidité, envie, indifférence affective, disparition de l'amour, haine, mensonge, bassesse, luxure, etc. Un certain nombre de ces signes sont déjà apparus.

Après avoir traversé cette crise totale, l'humanité forgera une « civilisation idéale », où la justice et la liberté seront établies au moyen d'appareils et de techniques extrêmement avancés. La volonté divine sera accomplie par l'Essence elle-même, se servant apparemment des moyens de la science humaine pour répandre Sa grâce sur toute la terre, indistinctement. Contrairement à ce qu'attendent les religions, cette réapparition diffuse de l'Essence ne sera pas non plus dépendante d'un phénomène spirituel particulier comme la venue d'un prophète, mais s'accomplira d'elle-même, grâce aux progrès scientifiques de l'homme, aboutissant à une civilisation authentique, où chacun trouvera son bonheur. Par des procédés techniques très perfectionnés, on parviendra à extirper l'injustice, le mensonge, le vol, la violence, etc., et à établir la liberté et la paix sur toute la terre, même dans le règne animal. On inventera des moyens de contrôle qui empêcheront ou puniront instantanément tout acte contraire à la morale ; il sera impossible de nuire à ses semblables ou même de mentir, puisqu'on sera en mesure de connaître la vérité sur le présent aussi bien que sur le passé. Dans ces conditions, il n'y aura plus besoin de gouvernement ni de frontières, et la Terre entière sera comme une grande maison ; on ne fera plus la distinction entre pays, races et cultures, et il régnera une équité parfaite : personne ne gouvernera personne, et personne ne sera favorisé ou défavorisé. Chaque homme s'occupera comme il lui plaira, dans les limites des lois, et aura tout ce qu'il voudra, car la science aura les moyens de pourvoir aux besoins et aux désirs de chacun.

La science aura mis en évidence l'existence de Dieu, et découvert, ou vérifié toutes les lois spirituelles, de sorte que tout le monde sera forcé de croire. On trouvera le moyen de remonter dans le passé, et de savoir exactement ce qu'ont dit et fait les prophètes, aussi la seule religion qui restera sera la Religion du Vrai *(Ḥaqq)*. L'erreur n'existera plus, mais les hommes seront toujours libres de pratiquer les principes du perfectionnement ou, au contraire, de ne pas s'y intéresser.

XXXII

Les envoyés de Dieu

Une âme assoiffée de vérité doit résoudre les problèmes de l'existence et les moyens de parvenir à Dieu. C'est pourquoi Dieu a envoyé les prophètes pour nous exprimer Ses ordres et Ses lois. Les prophètes nous indiquent la vraie voie, et en nous efforçant de suivre leur enseignement, nous sommes aidés pour résoudre les questions concernant notre origine, notre existence, notre destinée.

Zoroastre était un prophète à mission universelle, désigné par Dieu dès son enfance, mais il s'est fait connaître progressivement. Il avait une inspiration divine, et les messages qu'il recevait étaient consignés dans un livre dont l'original a disparu. Il y a bien entendu actuellement des livres qu'on lui attribue, mais seul Dieu peut juger de l'authenticité de leur contenu.

Il connaissait l'Etre suprême unique et exhortait les gens à croire en Lui. Il connaissait l'existence du monde spirituel et l'éternité de l'âme, et enseignait la présence en chacun de nous de deux forces : le bien (Ahuramazda) et le mal (Ahriman). La première est comparable à l'âme angélique et la seconde au *nafs*. Il savait aussi que l'âme a des vies terrestres successives, et disait que, dans chaque existence, une lutte perpétuelle oppose Ahuramazda à Ahriman. Il faut aider la première à dominer complètement la seconde. Lorsque Ahriman est dominé, la perfection est atteinte, et l'âme angélique peut rejoindre le monde éternel.

Il comparait ce qu'il percevait des manifestations de Dieu au jaillissement de la lumière du feu ; il se prosternait devant ce symbole de la manifestation divine, et les gens, ne pouvant comprendre cela, crurent que Zoroastre adorait le feu. Il recommandait à ses disciples d'être bien intentionnés envers toutes les créatures et d'agir avec les autres comme ils voulaient qu'on agisse envers eux.

Sa devise était : « Bien dire, bien agir, bien penser. »

Bouddha, comme Zoroastre, était un prophète à mission universelle, désigné par Dieu dès son enfance, et qui se fit également connaître peu à peu. Comme c'était le cas pour Zoroastre, les paroles que Dieu lui inspirait étaient recueillies par ses disciples dans un livre qui a disparu. Il communiquait avec Dieu et le monde spirituel principalement par la méditation, et recevait la réponse et la solution de ses questions spirituelles par messages divins. Sa connaissance de Dieu, du monde spirituel, de l'éternité de l'âme, des vies successives, etc., était la même que celles de Zoroastre.

Il enseigna à ses disciples la méditation sur Dieu, la lutte contre le soi impérieux, les différentes étapes du perfectionnement de l'âme, et lui-même en a donné un éclatant exemple, en insistant surtout sur la méditation et le perfectionnement de l'âme étape par étape.

Malheureusement, comme pour beaucoup d'autres prophètes, une grande partie de ce que l'on attribue au Bouddha, telle la recommandation de la vie

ascétique et monacale, n'est pas de lui. Si un prophète a choisi une vie retirée du monde, on ne doit pas le prendre comme un commandement divin : c'est une affaire personnelle et individuelle.

Moïse fut désigné par Dieu pour sauver le peuple d'Israël, le guider vers la Terre Promise et imposer l'idée du monde métaphysique et du Dieu unique.

Jésus-Christ, prophète à mission universelle, apportant un Livre révélé, était né parfait et avait une mission de rédemption pour toute l'humanité. Il enseigna surtout l'ésotérisme, c'est-à-dire la perfection de l'âme, le retour à Dieu, la vie éternelle et la félicité ineffable.

Toutes les paroles de Jésus ne nous sont pas parvenues. Une grande partie de son enseignement a été oubliée ; certaines paroles ont été transmises, mais détachées de leur contexte, et de ce fait n'ont pas été comprises. On a tenté alors de combler les lacunes dans l'enchaînement de ces paroles divines, par des idées humaines.

Puis vint Mohammad, qui nous laissa le Coran. Il n'y a pas à défendre le Coran, et encore moins à le juger, car nous n'en sommes pas dignes, et tout ce que l'on dit d'habitude n'est que discussions de sourds.

Pour juger les livres saints attribués aux prophètes, il faut être impartial, avoir réveillé le sixième sens, et posséder un cœur illuminé par la Lumière divine. Dans ces conditions, il est aisé de discerner les paroles divines et la vérité qu'elles renferment.

Il est dit dans le Coran : « Mohammad n'est le père d'aucun de vous. Il est l'envoyé de Dieu, le dernier des prophètes. » (33.41.) Mais après lui vint le Saint Imâm 'Ali, qui était *Vali,* Maître absolu. 'Ali reflétait intégralement le pouvoir divin pour tout l'univers. Les êtres parfaits eux-mêmes ne peuvent s'empêcher d'irradier parfois une partie de leur lumière ; mais un être qui reflète Dieu parfaitement et dans sa totalité a le pouvoir de dissimuler complètement son essence, de sorte que seules les personnes très avancées les reconnaissent peu à peu. Ainsi du temps de 'Ali, quelques personnes seulement avaient reconnu son essence.

La mission des prophètes était d'établir un exotérisme, à l'intérieur duquel était caché cet ésotérisme sans lequel il n'y a pas de vraie religion. Toutes les lois exotériques ont déjà été établies et formulées, aussi n'y aura-t-il plus de prophètes à mission universelle. Après Mohammad, tous ceux qui prétendent fonder une religion ou apporter un livre révélé, sont des faux prophètes ; ils n'ont pas reçu de mission d'origine divine, et agissent par eux-mêmes. En étudiant sans parti pris les messages authentiques de ces prophètes, on comprend qu'ils sont tous envoyés par le Dieu unique, et que chacun a eu un rôle particulier. Ils ont absolument tout dit de ce qui est nécessaire pour tous les temps au perfectionnement de l'âme. Quelle que soit l'évolution de la pensée des hommes, une réponse à leurs questions a été donnée. Puisque tout a été dit sur l'exotérisme, un nouveau prophète n'est plus nécessaire au monde, mais comme les hommes ont besoin de maîtres ou de guides spirituels qui les aident et les dirigent dans la Voie de la Perfection, il y a toujours un vrai représentant de Dieu sur terre, un *Vali*. Les *Vali* n'ont pas besoin de chercher les adeptes, car Dieu les amène à eux, et ils n'ont pas pour mission de fonder une religion, mais simplement de nous enseigner les vrais principes des religions et leur application pour le salut de notre âme.

XXXIII

La hiérarchie spirituelle

Un homme parfait connaît exactement le rang de chaque prophète et de chaque saint. Pour celui qui veut entrer dans la Voie et atteindre la perfection, il est indispensable d'avoir une connaissance juste et précise de la hiérarchie spirituelle.

Au commencement, Dieu créa l'Ame Totale. Cette âme est à Dieu ce que l'attribut est à l'essence. Elle est en quelque sorte la forme sous laquelle Dieu apparaît et se fait connaître à toutes les créatures de l'univers, et à l'homme. La quiddité de Dieu est inconnaissable, même pour une âme parfaite ; Dieu n'est connu que de Lui seul et de cette Ame Totale, qui n'est pas extérieure à Lui. Lorsqu'on parle de Dieu, on ne parle que de cet Etre ; ce qu'il y a derrière Lui, nul ne peut en avoir la moindre idée.

Puis, cette Ame Totale, qu'on peut appeler Dieu, créa un petit nombre d'âmes d'un niveau très élevé. Ces âmes supérieures revêtirent l'habit humain et devinrent parfaites. C'est pour cela qu'on dit que l'âme humaine a le pouvoir d'occuper le rang le plus élevé de la création. Ces âmes se manifestent sur terre pour fonder des religions, et guider les hommes sur le chemin de Dieu. Ce sont donc toujours ces mêmes âmes supérieures qui se manifestent aux hommes sous les traits de certains saints, maîtres spirituels ou prophètes. Elles peuvent se manifester de deux façons : être présentes intégralement dans un corps qui leur est propre, ou visiter un corps qui a déjà une âme à lui ; on dit alors qu'elles sont « hôtes » de ce corps : elles peuvent y demeurer quelques instants, comme toute la vie.

Chaque être humain, quelle que soit sa religion, peut prendre conscience de ce fait, à condition d'avoir dépassé l'étape de l'exotérisme. S'il est devenu clairvoyant, il distinguera le vrai du faux, il comprendra qui sont les prophètes, et ne parlera plus des religions, mais de la Religion, qui est une et invariable.

Depuis Adam, il existe en permanence une de ces âmes supérieures qui représente Dieu sur la terre. Elle est toujours une âme parfaite, reflétant l'Essence Absolue en partie ou dans sa totalité, pour la terre ou pour tout l'univers. Cet être est le *Vali,* Pôle spirituel de la terre ; dès qu'il quitte la terre, il est immédiatement remplacé par un autre *Vali,* qui est une manifestation d'une autre de ces âmes supérieures, ou éventuellement de l'Ame Totale Elle-même. La fonction de *Vali* a toujours existé et existera jusqu'à la fin des temps. Certains prophètes étaient aussi *Vali,* mais d'autres n'étaient que prophètes.

Le *Vali* est un homme parfait, un maître spirituel reflétant en lui le pouvoir divin et manifestant le détachement absolu. En étudiant la vie des saints et des prophètes, on peut avoir une certaine idée de ce qu'est le *Vali.*

XXXIV

Le Maître

Pour s'engager sur la voie, il faut avant tout vouloir Dieu pour Dieu, c'est-à-dire être à la recherche de la vérité et non pas d'amusements spirituels ou de profits matériels ou mondains. Il faut commencer par suivre avec foi les enseignements des prophètes, qui indiquent l'entrée du chemin. Après avoir franchi les premières étapes, la route devient difficile, et il s'avère nécessaire de progresser avec l'aide d'un maître déjà parvenu au but.

Les maîtres sont des âmes parfaites, des lumières capables de guider ceux qui sont dans les ténèbres. Selon leur capacité, ils assument une mission plus ou moins importante. Ils guident un certain nombre de leurs semblables et sont les bergers des âmes.

Le vrai maître donne la certitude absolue que la voie du perfectionnement est l'unique possibilité de salut. Il indique le but et le chemin. Egarés, les hommes courent en tous sens et sans but ; mais celui qui a confié son âme à un maître est comparable à quelqu'un qui, perdu dans l'obscurité, a vu briller une lumière au loin. Malgré toutes les difficultés physiques et métaphysiques qu'il y a à parvenir à cette lumière, rien ne le détournera de la voie.

Notre âme, comme notre corps, peut être en proie

à des maladies. Tels sont le doute et l'orgueil, qui affaiblissent l'âme, la poussent au péché et la détournent de la voie. Comme nous ne pouvons soigner notre âme nous-même, nous devons la confier à un médecin spirituel, à un maître. Les vrais maîtres sont aussi rares qu'un élixir, mais si de toute son âme quelqu'un aspire à Dieu, Il le guidera vers l'un d'eux. Celui qui approche de la Perfection n'a point besoin de disciples, aussi n'en recherche-t-il pas. Mais Dieu dirige vers lui les sincères, les assoiffés de vérité, et si le contact ne peut se réaliser matériellement, il se fera spirituellement, par-delà le temps et l'espace. Quelle que soit sa capacité, une âme parvenue à la perfection a le pouvoir de guider tout homme sincère vers cette perfection.

Un maître authentique doit avoir dominé parfaitement ses instincts. Sa vie est comparable à celle des prophètes et des saints. Il a tous les pouvoirs, mais respecte toujours les lois de la nature, à moins qu'il n'ait reçu un ordre particulier de Dieu. Son corps, ses sens, son âme sont purs de toute souillure. Son détachement de ce monde est tel qu'il ne songe même pas à parler de lui-même ; il ne peut dire « moi », car, en lui, il n'y a pas de place pour le moi. Il ne voit que Dieu. Il se sent infiniment petit et humble devant l'immensité de Dieu. Il n'a aucune considération pour les choses de ce bas-monde et se refuse absolument à vivre à la charge de ses disciples ; il ne prétend jamais être le seul à détenir la vérité, et ne médit de personne ; il ne dit rien qu'il n'ait expérimenté et ne donne aucun ordre spirituel sans l'avoir déjà mis lui-même en pratique. On aime à l'entendre et à être à ses côtés, car le rayonnement que dégagent son visage, sa parole et son âme inspire l'amour et le respect. Il est simple et son comportement est très naturel. Toutes les qualités qu'on peut trouver chez l'homme émanent de lui spontanément.

Un maître est comme l'eau et le pain : on ne s'en lasse jamais.

Les trois critères extérieurs essentiels auxquels répond un maître authentique sont les suivants :

— Il pratique lui-même ce qu'il conseille aux autres.

— Il gagne sa vie par ses propres moyens, son propre travail sans jamais accepter le moindre profit pécuniaire de ses disciples ou de qui que ce soit. L'amour de l'argent est incompatible avec l'amour de Dieu.

— Son corps conserve ses instincts, comme celui de tout homme, mais il les domine de façon absolue, en particulier ses instincts sexuels. Aussi peut-il mener une vie chaste, ou se marier, selon l'ordre qu'il a reçu de Dieu. Si quelqu'un se présente comme un maître et enfreint cette règle ou se conduit d'une manière contraire à la morale, il révèle ainsi son imposture, ou son erreur, et nulle justification de son comportement n'est admissible.

En effet, la luxure est l'un des trois pièges majeurs, (les deux autres étant l'orgueil et la puissance terrestre), dans lesquels tombent les faux maîtres. Beaucoup de ces personnages peuvent résister à certaines tentations matérielles, mais n'ont aucune emprise sur leurs appétits sexuels. Quant au piège de l'argent, il faut savoir que celui qui dupe ses disciples pour son profit personnel est plus coupable que le voleur qui tue pour dévaliser sa victime. Tromper la confiance sous le couvert de la spiritualité, de quelque façon et dans quelque but que ce soit, est pire qu'un assassinat. Alors qu'un vrai maître, contrôlant et dominant tout son être par sa puissance spirituelle, surveille et protège l'élève en permanence, le prévient contre les dangers et les pièges qui le guettent à chaque pas, et le conduit finalement au salut éternel, un faux maître, esclave de son *nafs,* est lui-même au fond de l'abîme : que peut-il pour son disciple, alors que sa propre personne constitue déjà un péril qu'il faut éviter à tout prix ?

Il n'en faut pas moins faire une distinction entre faux maître et maître leurré : le premier sait qu'il est un imposteur. Il est donc responsable. Tandis que le second croit qu'il est vraiment un maître. Les maîtres leurrés sont sincères au début, tant qu'ils sont abusés par des « esprits amuseurs », mais dès que ceux-ci les abandonnent, ils perdent tout pouvoir et, ne pouvant avouer leur faiblesse et leurs erreurs à leurs disciples, deviennent des imposteurs.

Subordonnés aux âmes parfaites que sont les *Vali,* il existe des guides non parfaits, mais toutefois proches du but final, des « bergers » qui peuvent montrer le chemin à un petit nombre, les conduisant tout au plus jusqu'à leur propre niveau.

Eux non plus n'ont aucune prétention, et dans tout leur comportement, sont très simples et naturels, et répondent aux critères essentiels. Ces guides sont dispersés sur toute la terre, aussi bien en Occident qu'en Orient, chez les primitifs comme chez les civilisés. Ils sont tous rattachés spirituellement au *Vali* absolu, qui les connaît tous, même si eux ne le connaissent pas, car toutes les lumières émanent de Dieu par l'intermédiaire du *Vali.*

XXXV

Les pièges et les tentations de la Voie

Il n'y a qu'une Voie possible : la Voie désignée par les prophètes et les saints. Pourtant, les chemins sont nombreux, et il est parfois difficile de reconnaître le bon. Le voyageur spirituel est souvent tenté de dévier, de s'arrêter ou d'errer, et seule sa foi et la sincérité de son amour pour Dieu sont capables de le guider vers la Vérité. Par contre, dès qu'il tend l'oreille à l'appel du soi impérieux, il s'égare sur des sentiers qui ne mènent nulle part.

Le principal obstacle pour l'âme est le monde sensible et toutes ses séductions. Rien n'est plus facile pour le soi impérieux que d'affaiblir l'âme au moyen des pièges de ce monde. Pour progresser dans la Voie, il faut être détaché des biens matériels et dominer les plaisirs du *nafs*.

Mais le soi impérieux a aussi le pouvoir de tenter l'âme elle-même. La Voie est longue et difficile, et pour éprouver l'âme, il y a tout au long du chemin des amuseurs qui distraient le voyageur, et des impasses qui lui donnent l'impression d'être arrivé au but. Les amuseurs sont des groupes particuliers d'esprits dont la mission est d'éprouver l'âme, de la tenter, de l'éblouir, de la flatter par toutes sortes d'artifices et de ruses. Celui qui se laisse prendre à leurs pièges est ralenti dans son travail spirituel, ou même arrêté complètement. En règle générale, dès que quelqu'un prend contact avec le monde métaphysique, il est mis à l'épreuve par ce groupe d'esprits particuliers. Ils lui préparent toutes sortes d'amusements et vont jusqu'à lui faire croire qu'il est un prophète, qu'il pourra faire des miracles et conquérir le monde. S'il se laisse séduire par ce mirage, il est perdu pour cette vie, et devra recommencer dans des vies futures son chemin de perfectionnement.

Les moyens d'éviter les esprits amuseurs sont :

— avoir un maître spirituel parfait ;

— chasser l'orgueil de sa nature ;

— analyser attentivement les propositions de ces esprits amuseurs en les comparant aux règles de la religion. On s'aperçoit qu'il y a toujours en elles un aspect qui satisfait le *nafs,* et particulièrement l'orgueil. Le premier principe du salut est de vouloir Dieu pour Dieu, et d'oublier tout ce qu'on a fait pour Lui ; tout ce que l'on fait en bien doit être accompli pour Dieu et non pas en vue d'un profit, quel qu'il soit. Un élève sérieux, soutenu et protégé par un vrai maître, traversera la zone de ces esprits amuseurs sans s'y arrêter, entrera dans la zone suivante en sécurité, et continuera son chemin vers le but final.

Ce sont des hommes soutenus par des esprits amuseurs qui deviennent les maîtres égarés ou dupés, nombreux de nos jours, qui occupent leurs disciples avec des amusements spirituels, et leur font perdre leur temps. Ces amusements spirituels ont un effet euphorisant temporaire sur l'âme, comme l'effet des drogues sur le corps. Les disciples habitués à ces drogues spirituelles sont presque perdus, dans cette vie, pour la Voie du perfectionnement. Il faut savoir que la durée de ces amusements spirituels est variable mais limitée, et en rapport avec le trésor spirituel que l'on possède. Une fois ce trésor épuisé, les amuseurs quittent le maître dupé, qui a alors tout perdu. Dès ce moment, le pseudo-maître, voulant garder ses disciples à tout prix, se transforme en un imposteur et un vendeur de « techniques spirituelles », accumulant des montagnes de fautes pour lesquelles il devra comparaître.

Une des ruses les plus subtiles des tentateurs de l'âme est de suggérer à quelqu'un qu'il est un maître ou un prophète. Il n'y a rien de plus séduisant pour le soi impérieux que d'y croire, et un homme qui a progressé jusqu'à un certain niveau et a acquis des pouvoirs se laisse volontiers convaincre qu'il est arrivé au but et qu'il a pour mission d'aider les autres à y parvenir. Il devient alors un faux maître.

Les faux maîtres montrent à leurs disciples les mêmes amusements qui les ont arrêtés dans la Voie. Ils les tentent au moyen d'artifices qui les attirent et les éblouissent. Mais leur art merveilleux est comme une sucrerie, agréable un moment, puis écœurante à la longue. Au commencement, leur voie est parfois empreinte de quelques vérités, mais elle dévie bientôt, et ne conduit pas plus loin que l'impasse où le guide égaré s'est lui-même fourvoyé. Le plus souvent, ces faux maîtres développent des aspects particuliers, des détails, et en font des méthodes, des exercices ou des systèmes qu'ils substituent au vrai travail de perfectionnement.

Tous ces pièges ont en commun un aspect flatteur pour le *nafs,* et un aspect « mondain ». Mais au regard de la vraie connaissance divine, les pouvoirs occultes et les prodiges ne sont que vanité et dérision. Apprendre quelques techniques physiques, psychiques ou mentales n'est d'aucune utilité pour le perfectionnement de l'âme. Les adeptes de ces techniques sont comme ceux qui se croient devenus musiciens parce qu'on leur a appris quelques mélodies. Ils arrivent à communiquer avec le monde spirituel, mais ils ne le font que pour leur propre plaisir, ce qui crée chez eux un processus d'accoutumance. En paroles, ils disent presque la même chose que les vrais maîtres, mais en réalité, ils ne font qu'acheter du plaisir et des amusements au prix de leurs pratiques prétendument spirituelles. Les néophytes ne se doutent pas du danger qu'ils représentent, aussi faut-il insister sur ce point.

Celui qui suit un vrai maître est guidé, et détourné de ces pièges, mais celui qui n'a personne pour le diriger doit mettre toute sa foi en Dieu, et chasser l'orgueil, pour que lui soient épargnées les tentations de ce genre, et que Dieu lui désigne un vrai maître. Celui qui demande l'aide de Dieu reste dans la bonne direction, mais il arrive que certaines âmes peu avancées se croient capables de choisir elles-mêmes leur chemin : elles tombent ainsi, sans s'en douter, dans le piège de l'orgueil, et peuvent même perdre la foi.

Nombreux sont également ceux qui (notamment en Inde) parviennent à dominer une grande partie de leurs instincts, mais qui ne connaissent pas Dieu, et ne font, en fin de compte, que le tour d'eux-mêmes. Ils ne parviennent pas à briser le mur de leur moi et à établir la communication avec Dieu, qui les conduira jusqu'au bout de la Voie.

Il existe aussi une catégorie d'hommes sincères, possédant une vue particulière et personnelle de la religion : les « savants ésotéristes ». Ils ont en général une vaste culture livresque exotérique. Imbus de leurs connaissances intellectuelles, ils abordent par la même méthode l'ésotérisme qui est du domaine du sixième sens. Ils accumulent les connaissances théoriques jusqu'à devenir des « savants ésotériques », et arrivent à dominer si bien leur sujet qu'ils peuvent manipuler à leur aise le vocabulaire ésotérique, émettre des théories, écrire des livres, discuter, critiquer et éblouir. Imbus de leurs thèses personnelles et sûrs de leur savoir, ils contactent parfois des maîtres authentiques, et ces rencontres, bien qu'intellectuellement fertiles, sont souvent spirituellement stériles pour eux : trop préoccupés par leur propre savoir et aveuglés par leur orgueil, ils laissent passer la vérité. Chaque homme possède en lui la potentialité de réveiller les sens de l'âme s'il prend le chemin approprié, mais les mots sont insuffisants pour exprimer les sensations spirituelles. Si, avec des mots, on pouvait faire appréhender la sensation de lumière et les variations de couleur à un être dépourvu de l'organe de la vision, on pourrait aussi faire sentir et faire comprendre les sensations spirituelles à ceux qui n'ont pas réveillé leur sixième sens.

Celui qui suit une fausse voie cherche un trésor là où il n'y en a pas ; il peine à la tâche, il a la foi, mais n'arrive à rien, car il ne suffit pas d'être convaincu, mais il faut croire à des réalités. Pour parvenir à la vérité, il faut avoir foi en la vérité, rien qu'en la vérité. Ceux qui croient, même avec une foi profonde, en un faux maître, une fausse religion ou une religion accommodée par les hommes, n'auront pas accès à la vérité. Dieu pourtant est juste et miséricordieux, et leur foi n'aura pas été tout à fait vaine, car dans une vie suivante, ils seront placés dans un milieu où ils recevront un enseignement authentique. Les gens sont trompés par des faux maîtres à cause de leurs erreurs passées. Un faux maître a pu avoir des disciples qui l'ont quitté un jour, cruellement déçus et perdant la foi par sa faute ; aussi, dans une autre vie, sera-t-il peut-être à son tour le disciple fanatique d'un imposteur.

Le seul salut possible est de sentir la présence continue de Dieu, et surtout, d'avoir la protection permanente d'un vrai maître. Nous disons bien *vrai* maître, et insistons sur ce point capital, qui obéit à la loi du « tout ou rien ». *Un vrai maître est tout, un faux maître, rien.* Avant de suivre un maître, il faut examiner attentivement tous les critères que nous avons précisés. Avec un maître, c'est notre destin éternel qui est en jeu. C'est en effet le maître qui nous prend la main et nous protège des innombrables périls qui nous guettent. Il est impossible de parcourir cette route et d'arriver au but sans l'aide d'un maître authentique.

Les faux maîtres ne se distinguent pas toujours facilement des vrais, car certains jouent très bien leur rôle. Mais un faux maître ne séduira que celui qui a un autre objectif que le perfectionnement de son âme, celui dont l'intention n'est pas pure, dont l'amour pour Dieu n'est pas désintéressé, et qui associe quelque chose à l'Unique. Celui qui a été abusé par un maître lui-même leurré peut toujours être sauvé, à condition que la voix de son cœur crie vers Dieu, qu'il ne veuille que Dieu, et rien d'autre. Alors il sera pris par la main et guidé sur la Voie de la Vérité.

بسم الله الرحمن الرحیم اما بعد

در زندگانی مادام العمری ام آئین

و شعار من اینست — ۱ — به تمام مخلوق

خاصه جنس بشر نیکخو و نیک گو و نیک جو

و نیک خواه باشم — ۲ — از خدا

خواهانم هر کس هم بمن نامهربانست

مهربان گردد آمین یا رب العالمین

فی بیست و یکم آبان سنه ۱۳۵۱ شمسی

Et puis, durant toute ma vie, mon opinion et ma devise ont été ceci : agir bien, dire bien, chercher le bien, vouloir le bien de toute créature, notamment de l'homme.
S'il y a quelqu'un qui ne soit pas bienveillant à mon égard, je demande à Dieu de le rendre bienveillant.
Ainsi soit-il, O Créateur du Monde.

1351 H.

QUATRIÈME PARTIE

XXXVI

Il arrive à tout homme d'éprouver un sentiment de vide angoissant par lequel il comprend que la vie matérielle, même la mieux réussie, ne peut le satisfaire, et qu'il doit tenir compte d'autre chose. Plus l'âme est élevée et avancée, plus ce genre de sentiment est intense et fréquent. C'est en quelque sorte l'écho de l'âme, le signe avertisseur qui incite l'homme à se soucier de l'avenir qui l'attend au-delà de la vie terrestre.

Cet écho de l'âme est si intense chez certains qu'il les pousse irrésistiblement à chercher un moyen de calmer cette soif intérieure. Mais faute de connaître exactement l'origine et la nature de cet état, nombreux sont ceux qui cherchent à l'apaiser par des moyens erronés et souvent dangereux. Les uns cherchent le soulagement dans les drogues, d'autres dans les drogues spirituelles : ils se confient à de faux maîtres, adhèrent à des sectes ou suivent des charlatans. Beaucoup prennent le chemin de l'Orient, et notamment de l'Inde, où ils apprennent des techniques élémentaires, sans aucun rapport avec le perfectionnement réel de l'âme, et grâce auxquelles ils se distraient et s'amusent pendant quelque temps. Mais l'écho réapparaît, et la soif intérieure persiste.

Or, tant que nous n'avons pas compris le but pour lequel nous avons été créés, ce que nous devons faire ici-bas et ce que nous devenons après la mort, cette angoisse devant le monde sensible persiste en nous, quoi que nous fassions. Mais une fois compris que le but de tout homme est le perfectionnement de l'âme et son retour à Dieu, l'absurde et l'angoisse disparaissent.

L'homme est un animal humain, et possède donc des pulsions et des instincts animaux ; à ces instincts s'ajoutent la pensée et la faculté créatrice, qui sont des manifestations de l'âme angélique. L'âme angélique nous pousse vers Dieu, et le *nafs* nous en éloigne.

Lorsqu'on a parcouru jusqu'au bout et assimilé spirituellement les enseignements de l'étape exotérique de la religion, on voit s'ouvrir devant soi les portes de l'ésotérisme, et le commencement de la voie spirituelle. A ce moment apparaît un être à mille visages, rusé et infatigable, qui s'appelle *nafs*. Il commence à se faire passer pour un ami et un conseiller et, sous tous les prétextes possibles, essaye de nous dévier du droit chemin et de nous empêcher d'avancer. Celui qui est guidé par un vrai maître sait alors que ce *nafs* est son ennemi juré, et qu'il n'y a pas moyen de s'entendre avec lui. S'il veut avancer sur la voie droite, il doit se battre avec lui dans une lutte sans merci, et le dompter totalement. Un tel combat est quasi impossible à l'homme ordinaire, car le *nafs* utilise deux armes très puissantes : l'orgueil et le doute, desquels dérivent toutes les ruses.

A ces armes nous devons opposer la foi, la volonté, la sincérité et le désintéressement. Mais l'aide divine nous vient du Maître, vivant ou invisible, qui agit en nous par ces moyens, qui nous conseille, nous met en garde, déjoue les ruses du *nafs,* et parfois, dans les moments critiques, agit directement sur lui.

A chaque fois que le *nafs* est surmonté, on avance d'un pas sur la voie, et, au contraire, chaque fois qu'il a le dessus, on recule ou on s'arrête ; parfois il disparaît puis revient avec un autre visage ; parfois il fait mine de se soumettre, puis nous frappe en traître ; lorsqu'il est affaibli, il vient avec ses alliés : les amuseurs spirituels. Tout le long du combat, la règle d'or est : « Quoi que le *nafs* te suggère de faire, fais toujours le contraire. »

Lorsqu'il voit qu'on ne l'écoute pas, il imite la voix de l'âme angélique, et nous suggère de fortifier notre foi par des prières, des jeûnes, ou d'autres ascèses méritoires. Mais, avec l'aide du Maître, le disciple reconnaît la voix du *nafs* et lui demande : « Toi qui es l'ennemi acharné de mon âme, pourquoi me commandes-tu de faire ce qui est bon pour mon âme ? » Et le *nafs* lui dira à l'oreille :« C'est pour flatter ton âme ; petit à petit elle deviendra fière de son avancement, et quand l'orgueil la prendra, elle sera complètement à ma merci ! » C'est ici qu'intervient la seule arme possible : oublier tout ce qu'on fait pour Dieu, c'est-à-dire agir avec un détachement parfait, l'aimer pour Lui et non pour soi, accomplir tout par devoir et ne pas nous retourner sur nos pas.

Avec les gens ordinaires, le *nafs* triomphe par les tentations matérielles, mais avec ceux qui suivent une voie il triomphe par les tentations spirituelles.

Lorsqu'on parvient à dominer totalement le *nafs,* à le dompter sans avoir plus rien à craindre de lui, on est alors dans l'étape de la *ma'refat,* et une bonne partie de la voie est parcourue. Ce stade est celui de la connaissance spirituelle. Connaissance de soi d'abord, puisque toutes les ruses et les mille visages du *nafs* nous sont familiers, connaissance de son âme angélique, et enfin connaissance de Dieu. Au-delà, le chemin est encore long jusqu'au terme de l'étape de *ḥaqiqat,* mais l'adepte est désormais conscient de la nature de son travail et, bien qu'il ait toujours un œil sur lui, son moi impérieux n'est plus un obstacle.

Le premier pas dans la Voie consiste à considérer le *nafs* comme son ennemi. L'arme absolue du *nafs* est l'orgueil, et c'est donc l'orgueil qu'il faut réussir à vaincre. Pour le vaincre, il faut bien en connaître les manifestations et les degrés. On distingue trois formes principales : vanité, égocentrisme, et orgueil caractérisé.

Celui qui est dominé par l'orgueil *(qorur)* est une sorte de monstre aveugle qui ne voit que lui, ne s'intéresse à rien qu'à lui et à ce qui lui profite. Si un tel personnage rencontre un maître spirituel, il se croira très vite supérieur à lui. Il n'y a aucun espoir de salut pour lui, et il sera rejeté.

Le degré inférieur est l'égocentrisme, la suffisance, l'amour-propre *(khodpasandi).* A la différence de l'orgueilleux proprement dit, l'égocentrique a plus ou moins conscience de son défaut, mais il s'aime bien comme il est, et prend ce vice pour une preuve de sa forte personnalité. Il ramène tout à lui, parce qu'il se prend pour la norme de tout. Si l'orgueilleux ne se donne même pas la peine de regarder les autres, qui sont pour lui quantité négligeable, l'égocentrique, au contraire, passe son temps à juger et critiquer tout par rapport à lui. Toujours à l'affût des erreurs et des défauts des autres, il se plaint de tout, ne voit pas la poutre dans son œil, mais seulement la paille dans l'œil du voisin. L'auxiliaire le plus puissant de l'orgueil et de l'amour-propre est le doute spirituel.

Une autre manifestation d'orgueil est la vanité *('ojb)* : c'est l'orgueil fondé sur rien, et entretenu par l'imagination. Le vaniteux ou prétentieux est sensible à toutes les flatteries et tous les compliments ; il ne manque pas une occasion de se donner de l'importance, et a tendance à exagérer tout ce qui se rapporte à lui.

L'âme est totalement dépourvue de toute trace d'orgueil. Aussi, pour communiquer avec son âme, il faut déraciner totalement toutes les manifestations d'orgueil et de doute en nous. L'orgueil emprunte toutes les formes possibles pour nous arrêter dans la voie, et même sous les formes les plus infimes il peut encore triompher de l'âme angélique.

Lorsque l'orgueil est vaincu, le *nafs* laisse tomber peu à peu toutes les autres armes, et la délivrance est proche. Il n'y a donc pas de travail spirituel plus important que la guerre contre le *nafs,* l'élimination de l'orgueil, de la vanité et de l'amour-propre.

Le travail spirituel consiste donc essentiellement à connaître les ruses du *nafs,* c'est-à-dire chercher en soi-même les points faibles, en commençant par les points dominants, et à lutter contre eux au moyen de la volonté et de l'aide de Dieu, car sans Son secours on n'obtient rien de durable. Lorsqu'on est parvenu à surmonter un point faible, le suivant se fera connaître aussitôt, et on les combattra ainsi jusqu'au dernier.

En luttant contre ses points faibles, en les mettant sous le contrôle de la volonté et sous la domination de l'âme, on éveille progressivement ce qu'on appelle le sixième sens. L'éveil du sixième sens efface le regret du passé et la peur de l'avenir. Il confère peu à peu la sérénité, le calme, le bonheur et la liberté. Il permet de sentir le sens profond du « monothéisme » et de la religion des prophètes.

La Voie de la Perfection n'est accessible qu'à celui qui possède une foi pure et absolue en Dieu. Il est impossible de progresser sans Dieu, et difficile d'avancer sans un vrai maître spirituel. Celui qui prie la miséricorde de Dieu ou invoque avec foi le secours du prophète de sa religion sera conduit vers un maître spirituel authentique, qui connaît le chemin jusqu'au but final, et qui l'y guidera.

Lorsqu'il rencontrera un Maître, l'aspirant devra déterminer s'il s'agit d'un vrai maître ou d'un faux. S'il ignore les principes élémentaires de la science spirituelle, il doit observer attentivement, et sans parti pris ce maître, et demander l'aide de Dieu ou de son prophète pour l'éclairer. Ce n'est qu'à la condition qu'il ne veuille que Dieu pour Lui-même, et que son seul but soit la Perfection de son âme, qu'il identifiera la nature de ce maître, par l'intuition ou par un rêve.

Une fois engagé dans une Voie authentique, l'adepte doit adopter un certain comportement : il sent la présence continuelle de Dieu, comme des yeux qui l'observent. « Dire le bien, vouloir le bien, rechercher le bien » est sa devise. Il fait tout dans l'intention d'accomplir la volonté de Dieu ; il se soumet à Sa volonté, voit tout à travers Lui ; il est reconnaissant pour tout ce que Dieu lui donne, et ne désire pas ce qu'Il ne lui donne pas. Il ne recherche que Sa grâce, ne L'aime que pour Lui et non pour obtenir des pouvoirs spirituels ou le paradis, ou encore par peur de l'enfer. Il est toujours dans l'espoir et la crainte : espoir de la grâce et de la miséricorde divines ; crainte des ruses du *nafs*. Cette crainte évite à l'élève de tomber dans l'orgueil, qui est l'un des plus grands dangers de la Voie. Il doit supporter avec patience et soumission les épreuves spirituelles.

Enfin, il sait maintenir l'équilibre entre son âme et son corps.

On peut comparer l'âme angélique à un voyageur

qui doit parcourir une très longue et périlleuse distance, et qui n'a pour tout moyen que le corps, sans lequel il ne peut effectuer ce voyage. Du point de vue des rapports entre l'âme et sa monture, les hommes se divisent en trois catégories extrêmes :

— La monture, puissante et rétive, n'obéit pas à son cavalier et n'en fait qu'à sa tête. C'est le cas de ceux qui sont esclaves de leur *nafs* et qui, pour acquérir la puissance matérielle et satisfaire leurs désirs charnels, ne reculent devant rien. Ceux-là oublient Dieu ; en fait, ce sont des bêtes à apparence humaine.

— La monture est puissante mais docile : c'est le cas d'un *nafs* soumis par la juste méthode. Le cavalier guide sa monture dans le droit chemin, avance très vite, et a toutes les chances d'atteindre le but.

— La monture est devenue tellement faible et malade qu'elle n'a plus la force d'avancer. C'est le cas de ceux qui se soumettent à des mortifications erronées, sans guide qualifié, pour des buts dépourvus de vraie valeur spirituelle. Ils anesthésient ainsi les désirs de leur soi impérieux, sans pour autant les contrôler. Cela ne les avance pas sur le chemin, et ils quittent ce monde sans rien emporter avec eux.

La mortification n'est pas un moyen de lutter contre le *nafs,* mais plutôt une forme de prière. L'ascèse excessive agit sur le *nafs* comme un somnifère : dès que son effet se dissipe, le *nafs* se réveille exacerbé, et plus violent qu'auparavant. Si elle n'est pas ordonnée par un vrai maître, mais accomplie de notre propre initiative, la mortification est très dangereuse pour l'âme.

Beaucoup de techniques ascétiques viennent d'une

interprétation naïve des phénomènes spirituels. On a imité les comportements des saints sans les comprendre, tout comme on se fabriquerait une paire d'ailes pour s'envoler. Par exemple, à l'étape de la contemplation de Dieu, on est si submergé que l'on ne peut absolument plus bouger ou parler. Certains en ont alors conclu qu'en faisant vœu de silence, ou en restant immobiles, ils s'approcheraient de Dieu ; en fait, ils obtiennent le plus souvent l'effet inverse. Il en est de même pour les danses ésotériques répandues dans certaines écoles : sous l'effet de l'extase, l'ivresse divine est parfois si forte qu'on ne tient plus en place ; on est alors si ardent, que le feu lui-même semble rafraîchissant. Mais, pas plus qu'on entrera en extase en se jetant dans le feu, pas plus la danse ne nous fera voir Dieu.

Une ascèse courante est l'abstinence totale de viande. Si l'on pratique ce régime sous prescription médicale, ou parce qu'on n'a pas du tout envie ou besoin de viande, il n'y a pas d'inconvénient ; par contre, être végétarien par idéal spirituel est une erreur très grave, et nuisible.

Du point de vue spirituel, l'ère des mortifications est révolue, et l'homme doit désormais soumettre son soi impérieux par la force de la volonté et de l'intelligence. D'ailleurs, la vraie mortification est tout intérieure : elle consiste à contrôler sa pensée, son œil, son oreille, sa langue...

Le perfectionnement de l'âme angélique comprend plusieurs étapes. Chaque étape possède son propre lieu, et dans chaque lieu nous avons des devoirs propres à ce lieu. Ces devoirs sont indiqués par Dieu, et l'on ne doit pas dépasser les limites de ces devoirs, ni vouloir en faire plus, ni en faire moins, car la composition du corps humain est conçue de telle façon qu'on ne peut obtenir le maximum d'efficacité dans la progression spirituelle que si l'on respecte les limites des devoirs fixés par Dieu. C'est là le droit chemin, c'est-à-dire le chemin le plus court. Si l'on dépasse les limites indiquées, on dévie et l'âme risque de reculer d'une, ou même de plusieurs étapes.

Seule, la voie du perfectionnement assure la croissance harmonieuse de l'âme, et cette croissance, en dehors de cas exceptionnels prédestinés par Dieu (comme pour certains saints ou prophètes), ne s'effectue que graduellement. L'évolution de l'âme est exactement semblable à la croissance physiologique qui, de l'enfance à la vieillesse, s'accomplit progressivement, et est donc insensible pour la personne ellemême. Au cours de sa progression, l'adepte peut ressentir certains états, et même avoir des visions spirituelles, d'abord si ténues qu'on peut les confondre avec des suggestions de l'imagination. Cela commence habituellement par des inspirations, puis l'audition de la voix et, à un degré supérieur, des visions réelles. S'il ne se laisse pas envahir par le doute au sujet de l'authenticité de ces expériences, et s'il continue de poursuivre avec résolution son chemin, alors naîtra en lui la faculté d'interpréter ses visions.

Puis ses vies antérieures lui sont révélées progressivement, dans une vision claire, jusqu'à sa première vie d'homme. Il continue à descendre dans son passé, et prend conscience de ses étapes animales, végétales puis minérales, jusqu'à son noyau originel d'existence.

Il faut remarquer qu'au cours du cheminement, tout le monde n'a pas de perceptions auditives, de visions, etc. Certains élèves peuvent avancer d'une façon remarquable, sans pour autant connaître aucune de ces expériences. Celles-ci dépendent du jugement du maître, et l'élève ne doit pas s'en préoccuper, car elles n'indiquent rien. Il y a deux enregistreurs en chacun de nous : un enregistreur corporel, qui est le cerveau, et un enregistreur spirituel, l'âme. Tout ce qui nous arrive est enregistré par les deux. Mais le cerveau n'enregistre que les souvenirs de ce corps actuel, et il en oublie, alors que l'âme enregistre tous les souvenirs de ce corps et de tous les autres corps antérieurs, et elle a une mémoire infaillible. Sans qu'il soit besoin d'en être conscient, notre âme ne perd rien de nos impressions spirituelles, et lorsque les deux enregistreurs sont reliés, on prend conscience de tout ce qui se passe dans l'âme.

Après l'étape de la connaissance de soi, vient celle de la connaissance de Dieu.

C'est seulement lorsque l'homme se connaît lui-même qu'il acquiert l'aptitude de connaître Dieu. Dès qu'il se connaît lui-même, il lui vient nécessairement à l'esprit cette question : « Qui donc a créé ce " soi " ? ». C'est alors qu'il aborde l'étape de la connaissance de Dieu.

On doit découvrir Dieu en soi-même, car chacun de nous est une parcelle divine. En pénétrant en nous-même, nous découvrons des parcelles divines et, au fur et à mesure d'une pénétration plus profonde, nous trouvons le reflet de l'Essence Unique. Tant que nous n'avons pas retrouvé Dieu en nous-même, nous ne devons pas nous attendre à Le découvrir ailleurs. Il est vrai que Dieu est partout, mais il faut savoir Le reconnaître. Dès que l'élève, au tréfonds de lui-même, a ouvert les yeux, il Le reconnaît sous toutes Ses formes, et il connaît alors le *Vali,* Sa manifestation humaine. Le *Vali* établira alors un contact avec lui, et le prendra en main. C'est ainsi que 'Ali, le Christ, et d'autres *Vali* n'ont été connus que par un nombre limité d'hommes qui avaient acquis la connaissance de Dieu. Il est donc nécessaire de connaître le *Vali* de son temps pour franchir les étapes ultimes.

A l'étape de la connaissance de Dieu, *ma'refat,* les voiles qui obscurcissent la vision intérieure de l'adepte tombent les uns après les autres jusqu'à l'état de Perfection absolue :

— Lorsque tombe le premier voile, l'adepte se sent si extatique et si immergé dans la lumière divine qu'il ne ressent pas la distance entre lui et Dieu. Mais il n'a pas la certitude que ce qu'il ressent est la Vérité.

— Lorsque tombe le deuxième voile, il lui faut chasser de lui toute fausse imagination ou superstition, pour pouvoir comprendre l'évidence et la Vérité. Il acquiert la certitude de ce qu'il a ressenti après la chute du premier voile, mais, dans cet état, il éprouve encore le sentiment de son « soi » (il voit Dieu et il voit le « soi »).

— Lorsque tombe le troisième voile, l'extase est telle qu'il oublie le « soi » et ne sent que Dieu. Il ne se voit plus lui-même, si bien que si on le martyrisait, il ne ressentirait rien, comme s'il s'agissait d'un autre.

— Le quatrième voile tombe, et il est tellement absorbé en Dieu qu'il ne voit plus que l'Unicité. C'est à ce moment-là que certains saints criaient : « Je suis Dieu. »

— Lorsque le dernier voile est enlevé, comme le soleil levant illumine l'espace, le disciple est inondé par la lumière de l'Un. Sa substance se transforme, il devient lui-même cette lumière, et, comme une goutte d'eau, il rejoint l'océan de Dieu. Sa volonté devient celle de Dieu.

هو

زمانه بر سر جنگ است یا علی مددی

مدد بغیر تو ننگ است یا علی مددی

گشود کار دو عالم به یک اشاره تست

بکار ما چه درنگ است یا علی مددی

تحریر افی سمه الهی ١٣٤٥/١١/١٨

Lui
Le temps est en guerre, au secours, 'Ali !
L'aide de tout autre que Toi est une honte. Au secours, 'Ali !
La solution des affaires des deux mondes dépend d'un signe de Toi.
Dans notre affaire, quel souci ! 'Ali, au secours !

Ecrit en l'année 1345 par Elâhi.

CINQUIÈME PARTIE

Techniques spirituelles

La prière

Ce qui compte dans la prière est de fixer son attention sur la présence divine, de se concentrer, de louer Dieu, de Lui parler, Lui confier son cœur et Lui demander Sa Grâce, afin qu'Il agrée Son serviteur, lui donne la force de pratiquer Ses ordres et de suivre la voie droite, afin qu'Il le protège des tentations du *nafs* et du mal des hommes et des esprits. Nous devons aussi prier pour l'âme de nos parents, car c'est à eux que nous devons la vie, et pour l'âme de tous les croyants. L'essentiel est d'imaginer Dieu en face de soi, de comprendre et savoir ce qu'on dit. Sentir son maître présent en soi pendant la prière est aussi important.

Si l'on tient compte des trois parties : invocation, louange, vœu personnel et pour tous les croyants, peu importe alors les mots qu'on utilise. Il ne s'agit pas de négliger les formes de prières rituelles, mais seulement de pénétrer le vrai sens de la prière. Lorsqu'on est tenu au mot à mot d'une formule, on risque fort de dire une prière machinale sans rien comprendre ou sans faire l'effort de se rapprocher de Dieu. Il est en effet presque impossible de se concentrer à la fois sur le texte de la prière et sur son sens profond. Au contraire, si l'on cherche d'abord un contact spirituel, on trouvera les mots adéquats, on inventera une prière qui aura plus de valeur et d'effet que les prières rituelles. La prière rituelle correspond à l'étape exotérique ; elle n'entraîne pas un état spirituel, mais est une discipline profitable pour ceux qui ne parviennent pas à un état de concentration suffisant. A l'étape ésotérique, on conserve cette discipline : cinq fois par jour on recherche le contact divin, et comme ce genre de prière n'est pas lié à un rituel précis, il est beaucoup plus difficile de s'y soumettre. On essaye de se remémorer Dieu, quelle que soit la situation dans laquelle on se trouve, même s'il ne s'agit que d'un petit moment. Ainsi, on parvient à fortifier sa volonté et sa concentration.

A la fin de la prière, il est bon de répéter un certain nombre de fois un certain mot ou formule indiqué par son maître *(z̲ekr khafi)*.

Le z̲ekr

Le *z̲ekr* est une forme particulière de prière qui a pour effet de fortifier l'âme et de lui donner le courage de parcourir le chemin de la perfection. Il procure une joie et une détente nécessaires pour l'âme. *Z̲ekr* signifie : souvenir de Dieu. Par sa pratique, on se rappelle Dieu et on se rapproche de Lui.

Il existe deux sortes de *z̲ekr* : intérieur et extérieur, et cinq formes : *'ebâdât, ḥâjât, mo'eẓât, jaẓbiât, morâqbât.*

Le *z̲ekr* intérieur *(khafi)* consiste en formules qui

enseignées dans les traditions et religions diverses ? Comprenons bien que chaque individu est un cas particulier, et qu'il est impossible d'appliquer la même méthode à tous. Un maître qui n'enseigne que quelques techniques est comparable à un rebouteux qui soigne toutes les maladies par quelques trucs : il n'a pas de vision d'ensemble des phénomènes spirituels, ni de vision détaillée des cas dont il s'occupe ; il se contente d'appliquer les traitements, sans même en connaître toutes les conséquences possibles. Avec ces méthodes, on aggrave son cas ou l'on déplace le mal ; dans certains cas, on anesthésie ou on endort le *nafs,* dans d'autres, on le flatte sournoisement. Il n'y a pas de techniques inoffensives. La majorité des techniques de « concentration » et d' « éveil » agissent comme des drogues et créent en outre une accoutumance. Ces amusements spirituels sont l'opium de l'âme. Un maître inconscient est semblable à un médecin qui attire sa clientèle en prescrivant des calmants ou des excitants.

On objectera que ces méthodes sont souvent les mêmes que celles employées par les guides véridiques, et que parfois elles constituent le remède approprié à tel ou tel cas particulier. Il n'en est rien ; dans la pratique, seule une méthode prescrite par un guide qualifié sera chargée d'un véritable pouvoir : la méthode n'est que le moyen de recevoir une grâce particulière, et cette grâce ne peut venir que d'un maître parfait, d'un *Vali* représentant de Dieu.

Il est indéniable que les techniques provoquent des effets particuliers, quelles que soient leurs motivations, mais là encore, ce qui distingue la voie de la science divine des autres voies, c'est qu'on sait exactement de quoi il s'agit, et que cette connaissance est indispensable au perfectionnement. Voir sans comprendre, ressentir des états particuliers n'a pas de conséquences sur le développement de l'âme. Obtenir des visions dont on n'a pas la clé, c'est s'amuser comme un enfant avec un kaléidoscope, se faire du cinéma. Beaucoup de techniques visent par exemple à rencontrer des âmes, des génies, et à faire des marchés avec eux. On croit être arrivé à quelque chose lorsqu'on a établi ce contact, alors qu'on n'a pas la moindre idée de l'origine de cette âme, de son genre, de sa fonction, de son rang, de ses supérieurs, de la façon dont elle s'exprime, des raisons de sa venue, de la nature de sa mission et de ses pouvoirs, etc. Pénétrer dans ces zones sans savoir pourquoi ni comment, c'est s'exposer à la ruine, à la mort. Et il ne s'agit ici que d'un exemple entre mille des dangers, des tentations et des pièges qui guettent le voyageur spirituel.

La voie du perfectionnement est une voie parfaitement droite : nous sommes un troupeau guidé par un berger sur un chemin gardé par des loups qui sont les mille visages du *nafs*. Toute déviation est dangereuse, fatale.

Pour parcourir la Voie droite, il faut combiner avec harmonie la théorie et la pratique. La pratique toute seule est vaine, et la théorie est inopérante. Dans la mesure où notre âme est déposée dans un réceptacle humain, elle ne parvient à sa plénitude qu'une fois libérée du corps. Ce passage dans la matière est indispensable, car elle nourrit l'âme et lui permet de se développer jusqu'à un certain point. L'âme est une graine qui contient l'arbre en puissance. Le corps est une parcelle de matière, un pot rempli de terre dans lequel est déposée la graine angélique. Le processus de croissance est lent et délicat : une terre rendue trop riche pourrit la graine, une terre rendue trop maigre la dessèche. La terre

n'ont pas besoin d'être articulées à haute voix. Le *ẕekr* extérieur *(jali),* est prononcé et chanté à haute voix, soit seul, soit en chœur, comme c'est le cas dans les réunions *(jam)*. La première forme de *ẕekr* est une prière, une louange à Dieu *('ebâdât)*. La seconde est motivée par un vœu, une demande *(ḥâjât)* particulière. Ces deux formes peuvent être intérieures ou extérieures.

Le *ẕekr mo'eẓât* est un rappel à Dieu sous forme de conseils, de recommandations qu'un maître prodigue aux disciples.

Le *ẕekr jaẕbiât* engendre une puissante attraction vers le monde spirituel, une exaltation qui conduit à l'extase. Ces deux dernières formes de *ẕekrs* sont extérieures.

Le *ẕekr moraqbât* est purement intérieur, car à ce stade on ne peut plus parler. Rien ne peut toucher celui qui est dans cet état ; il est hors de lui-même, comme anéanti.

Les prières du *ẕekr* sont composées des noms de Dieu. Il y a deux mille noms pour Dieu : mille noms *jalâli* et mille noms *jamâli,* et un nom suprême, *(a'zam)*.

Les *ẕekr* sont composés des noms de Dieu, mais le plus utilisé est 'ALI, car 'Ali est l'un des composants du nom suprême. Nos *ẕekr* sont basés sur les noms de 'ALI et NUR'ALI (Lumière d''Ali), car Nur est aussi l'un des noms de Dieu.

Sans le *ẕekr* de 'Ali les derviches ne peuvent atteindre une réalisation très élevée.

La musique sacrée

Une pratique spirituelle très particulière, est l'utilisation de la musique comme puissant moyen de prière et de méditation. Les Fervents de Dieu détiennent le secret d'une musique ésotérique qui est sans équivalent, tant du point de vue de la forme que de l'effet extraordinaire qu'elle produit sur l'âme et le psychisme des auditeurs.

Il existe un grand nombre de *ẕekr,* de paroles sacrées chantées sur des mélodies définies, en solo et en chœur, mais c'est surtout dans le jeu instrumental que la musique prend sa dimension métaphysique.

On joue cette musique sur une sorte de luth à trois cordes (naguère à deux) appelé *ṭanbur*. L'instrument est très ancien ; on dit qu'il est la mère de tous les luths. Maître Elâhi lui ajouta une troisième corde, et inventa une technique nouvelle, beaucoup plus savante, d'un raffinement et d'une richesse incomparables : avec trois cordes, le musicien inspiré peut donner l'impression de dix instruments différents, jouant dix airs différents, mais néanmoins à l'unisson. Seuls Maître Elâhi et ses trois fils ont maîtrisé cette science ésotérique. Le *ṭanbur* est parfois accompagné d'un instrument à percussion, *daf,* sorte de grand tambourin.

La base du répertoire consiste en petites mélodies de structure assez simple, mais ornées et accentuées de façon si complexe qu'il serait impossible de les noter. Ces mélodies sont des révélations reçues par des maîtres lorsqu'ils étaient en extase et s'entretenaient avec Dieu. Elles ne sont pas composées ou inventées par des hommes, mais sont des parcelles du Verbe divin. Le plus souvent, elles sont accompagnées par des paroles sacrées équivalant à des *zekr*. Chaque mélodie exprime un état spirituel, une réalité métaphysique que le musicien initié peut faire partager à ses auditeurs. Les maîtres composent donc leur musique comme un discours spirituel, dans lequel les thèmes, les modes et les phrases s'enchaînent, non pas selon les lois de l'harmonie musicale classique, mais selon les lois de l'harmonie spirituelle, qui sont inexprimables, sauf précisément par la musique sacrée.

Certains airs provoquent une joie intense, d'autres une tristesse de l'âme ; les uns s'adressent à l'esprit, d'autres renforcent le courage et la volonté ; ils apportent le calme parfait, ou sont, au contraire, exaltants ; ils conduisent à l'extase ou à l'illumination. Pour exprimer toutes ces nuances, Maître Elâhi a mis au point soixante-douze modes très élaborés et difficiles, mais la source spirituelle de cette musique est inépuisable, et lorsqu'on y accède, on entend réellement les mélodies divines.

En raison de son origine et de sa fonction sacrosainte, il est évident que cette musique n'est jamais sortie des cercles restreints des Fervents de Dieu.

A la fin de certaines réunions, un chanteur et un instrumentiste interprètent parfois un poème mystique. Grâce à l'atmosphère particulière qui règne dans ces réunions, ces chants sont eux aussi très émouvants. Néanmoins, il ne s'agit pas, dans ce cas, de musique sacrée proprement dite, mais simplement de musique iranienne traditionnelle.

Conclusion

En principe, toutes les écoles spirituelles se proposent le même but. Toutes les voies sont à peu près unanimes au sujet de la destinée spirituelle de l'homme, et utilisent le même langage pour en parler. Dans la pratique, en revanche, il en va tout autrement : chaque école utilise ses propres moyens, ses techniques, ses méthodes, et met l'accent sur certains aspects particuliers.

Pour comprendre la place que tiennent les techniques dans la Voie, on peut comparer un maître spirituel à un médecin de l'âme, et l'âme à un enfant malade, qui doit guérir, grandir, et arriver à l'âge adulte. Un maître véridique est un médecin de l'âme qui connaît tout d'abord les lois divines et la théorie générale des âmes, ensuite toutes les maladies et leur diagnostic, et enfin la totalité des remèdes et la façon de les appliquer. Sa science spirituelle est parfaite et embrasse tous les domaines ; le moindre repli dans l'âme de son disciple lui est accessible. Il connaît tous les moyens d'action, et peut en inventer de nouveaux s'il le juge nécessaire. Bien entendu, il connaît la posologie exacte de chaque technique ainsi que ses effets secondaires, ses contre-indications, etc.

Dans une voie authentique, le maître utilise toutes

les méthodes appliquées dans toutes les traditions, plus une quantité d'autres moyens adaptés à chaque cas. Les âmes des disciples sont plus ou moins malades, plus ou moins chétives, plus ou moins développées, chacune est un cas particulier, chacune a ses problèmes, ses points faibles et ses points forts, certaines sont gravement atteintes, d'autres légèrement. Dans ces conditions, chaque âme en particulier doit bénéficier exactement du traitement adéquat. Ce traitement est sans cesse modifié et dosé au cours de l'évolution intérieure du disciple, il s'étale sur une très longue durée et ne peut se résumer en une ou deux formules de base.

Il est inutile d'entrer dans le détail de ces techniques dont le nombre est indéfini.

En plus des techniques, il y a les épreuves quotidiennes que surmontent les disciples, et qui le plus souvent sont fixées par le maître. Les voies authentiques sont suivies par un grand nombre de préposés invisibles qui sont chargés de mettre les disciples à l'épreuve ou parfois, au contraire, de les aider dans leur lutte contre le *nafs*. Ces épreuves sont de nature intime, intérieure, ou prennent des formes concrètes ; elles sont souvent posées de façon très subtile par le maître lui-même. De même nature sont les avertissements ou les enseignements qui attirent l'attention du disciple sur un point précis ; ils se manifestent par des signes, des événements de la vie matérielle, des visions, des intuitions ou des rêves clairs comme le jour. Toutes ces choses s'accomplissent sous la direction du maître parfait ; elles sont orchestrées par lui, et il en connaît la portée et la signification exacte. On les distingue en général aisément des produits de l'imagination ou des effets fortuits, car ils ont une saveur particulière. Néanmoins, il arrive souvent que le disciple ne soit pas conscient de la nature spirituelle d'une épreuve, d'un avertissement, ou d'une faveur spéciale.

Toutes les maladies de l'âme aboutissent aux mêmes effets : elles augmentent l'orgueil et affaiblissent la foi en Dieu et en Ses Envoyés. Le traitement des maladies de l'âme ne peut agir sans deux conditions : ne pas avoir perdu la foi et vouloir guérir à tout prix. Sans ces deux conditions, le traitement restera sans effet, ou tout simplement ne sera pas appliqué par le disciple. Les deux maux les plus difficiles à soigner sont le doute et l'orgueil. Lorsqu'ils sont ancrés en profondeur, tout ce que l'on peut entreprendre échoue, et il s'agit d'une vie perdue. Mais, très souvent, le doute et l'orgueil sont des défauts acquis par l'éducation, la culture ou le milieu. Ils n'affectent l'âme qu'en surface et il est alors facile d'y remédier.

Conduire les âmes vers la perfection est une mission extrêmement délicate qui ne peut être confiée qu'à un Envoyé divin. Une telle mission requiert une connaissance intégrale des lois spirituelles ; c'est la science par excellence, qui embrasse toutes les sciences et ne tolère aucune faille. Les moyens mis en œuvre sont très efficaces, et donc très dangereux s'ils sont mal appliqués : il y va de la médecine de l'âme comme de celle du corps ; un symptôme comme la fièvre appelle une multitude de traitements différents, selon les cas et les individus. Un remède pour l'un peut être un poison pour l'autre. Un maître inconscient peut ruiner définitivement une âme, et c'est pourquoi la responsabilité de guider les hommes ne peut être confiée totalement qu'à un maître parfait.

Dans ces conditions, on comprend aisément que les maîtres authentiques soient rares. Que penser alors de toutes les techniques spirituelles qui sont

La venue de Solṭân Seḥâk fut marquée par un nouveau contrat, le Bayâbas-e Perdiwâri [6], qui est en quelque sorte le renouvellement du Bayâbas-e Sâj-e Nâr établi lors de l'occultation du douzième Imâm, et comme l'a décrété Solṭân, le dernier Bayâbas jusqu'à la fin des temps.

Le message de Solṭân s'est répandu dans beaucoup de contrées, notamment en pays kurde. Après lui les principaux *Vali* furent Shâh Ebrahim, Shâh Yâdegâr, Shâh Weys Qoli, Shâh Ḥayâs, enfin Ḥâjj Ne'matollâh et son fils Nur'Ali Elâhi, dont la venue avait été annoncé par les anciens *bâṭendar.*

On peut se demander pourquoi tous ces *Vali* se sont manifestés dans le milieu des Ahl-e Ḥaqq et non pas ailleurs. Il faut savoir que les *Vali* viennent toujours dans un milieu où la religion est la plus parfaite, où elle est la plus proche de la vérité *(ḥaqiqat)* et la moins dénaturée par les hommes. Dans les temps bibliques, les *Vali* apparaissaient chez les Hébreux, après Jésus-Christ dans le christianisme, après Mohammad dans l'Islam, après Solṭân chez les Ahl-e Ḥaqq authentiques. Dans les autres religions et traditions spirituelles, le *Vali* ne trouverait pas les conditions favorables, car les hommes se sont trop éloignés des principes et des lois de leurs prophètes. Seuls des serviteurs dépendant consciemment ou non du *Vali* peuvent dans une certaine mesure assumer la tâche de guides spirituels. Ils existent dans toutes les religions et traditions, mais leur rôle est très modeste. Ainsi, pendant quelques siècles les *Vali* ont-ils choisi le cadre des Ahl-e Ḥaqq, des Fervents de Dieu.

Après Solṭân, les doctrines ésotériques se sont largement répandues parmi les populations de paysans et montagnards kurdes, turcs et arabes. Ces gens vivaient très simplement, étaient le plus souvent ignorants et

le remettre à un maître s'il craint qu'il ne soit profané en tombant dans des mains viles.

6. *Perdiwâri* : au-delà du pont. Solṭân et ses compagnons se réunirent en effet au bord du fleuve Sirwân, au-delà de l'unique pont, sur un rocher blanc, et promulguèrent le décret divin.

illettrés, et se transmettaient oralement des traditions et des rites qui différaient d'une tribu ou d'une région à l'autre. Dans l'ensemble, ils s'accordent sur leur foi en 'Ali et Solṭân, sur les vies successives et sur l'autorité de certains maîtres *(dide-dar* ou *bâṭen-dar).* Pourtant, faute de connaître des lois exotériques, une discipline fixe, la majorité des Ahl-e Ḥaqq se sont égarés, empruntant des éléments à d'autres religions. Ainsi, ils ne se considèrent pas comme musulmans, renient parfois le Prophète et ignorent tous les liens qui les rattachent à l'Islam. Certains boivent de l'alcool et mangent du porc, d'autres adorent le diable qu'ils croient le compagnon de Solṭân, d'autres considèrent comme un péché de se laver... Les vieux *kalâmkhân* qui connaissent les Ecritures ont disparu peu à peu, et ont préféré ne pas divulguer leurs secrets. Ceux qui ont acquis une certaine culture se désintéressent de cette religion dénaturée, et ne pratiquent plus ses rites, qui sont destinés à disparaître progressivement, et à être remplacés par les rites authentiques conservés par les véritables Fervents de Vérité.

Les croyances et les coutumes de ceux qui s'appellent eux-mêmes Ahl-e Ḥaqq ont été étudiées par plusieurs orientalistes. Ces travaux présentent un certain intérêt ethnographique et folklorique, mais ne peuvent absolument pas prétendre donner une idée de la réalité essentielle de cet ésotérisme. Ce n'est pas en interrogeant des catholiques ou des musulmans qu'on saura ce qu'est le christianisme ou l'Islam... A plus forte raison, on ne peut tirer grand-chose de ces Ahl-e Ḥaqq qui sont eux-mêmes complètement perdus, ne connaissent ni les lois ni les fondements de leurs croyances, et qui ne sont d'ailleurs même pas d'accord entre eux. La Vérité sur les Fervents de Dieu ne se dévoilera pas par une approche extérieure, car il ne s'agit pas de la religion d'un peuple, mais de la dernière étape de toute religion authentique.

L'école Elâhi repose sur les principes promulgués par Solṭân Eshâk dans le *Bayâbas-e Perdiwâri.* Maître Elâhi a complété le *Bayâbas-e Perdiwâri* et a épuré la voie Ahl-e Ḥaqq des additions, des faux rites et des dévia-

dans laquelle il fut décidé que le secret de l'imâmat serait transmis par les maîtres à leurs disciples intimes : ce fut la période de la *ma'refat* (gnose mystique). Pour les Ahl-e Ḥaqq, la seule possibilité de salut est de connaître la divinité à travers la présence humaine, le *Vali* qui la manifeste en tant que *ẕat bashar* ou *ẕât-mehmân.* Lorsqu'on connaît le *Vali,* la seule voie à suivre consiste à lui obéir corps et âme, pour découvrir la vérité, le trésor qui est caché en lui et qui ne se dévoile qu'aux initiés. Depuis les douze Imâms, il y eut à chaque génération un homme parfait, lieu de l'Essence divine. Les Fervents de Dieu appellent ces *Vali dide-dar* ou *bâṭen-dar*, parce qu'ils connaissent la vérité ultime, l'origine et le secret de toutes choses. Une de leurs fonctions est d'aider les hommes à accéder à la perfection.

On a conservé le souvenir de tous les *Vali* qui se sont succédé depuis le douzième Imâm jusqu'à nos jours. Pendant la période de *ma'refat* qui précédait la venue de Solṭân et la fondation de la secte Ahl-e-Ḥaqq, les *Vali* furent les suivants :

— Shâh Faẕl *Vali* (xe siècle), maître de la *ṭariqat,* venait sans doute des Indes. L'un de ses disciples fut le grand martyr Mansur Ḥallâj.

— Bâbâ Sarhang (xie siècle).

— Mobarak Shâh ou Shâh Khoshin eut de nombreux disciples ; il fut le premier à accompagner ouvertement les *ẕekrs* par de la musique [4]. Il vivait au Luristan et disparut dans la rivière de Gamasâb, à l'ouest de l'Iran.

fer servant à cuire le pain ; *nâr* : feu. La formule a la signification suivante : la pâte du secret de la prophétie (la *nobovvat,* d'Adam à Mohammad) levée dans la coupe de la *valâyat* (le cycle des douze Imâms) fut cuite sur le *sâj* de l'unicité par le feu de la gnose *(ma 'refat)* et se transforma en pain de grâce *(rahmat).*

On peut dire que l'étape de la *shari'at* correspond au temps de la prophétie de Mohammad, que celle de la *ṭariqat* et de la *ma 'refat* durèrent jusqu'au temps de Solṭân et qu'avec lui commence l'ère de la *ḥaqiqat.*

4. Certains considéraient arbitrairement la musique comme illicite.

— Bâbâ Navus était originaire de la tribu Jâf au Kurdistan.

— Solṭan Seḥâk vécut entre le XIIIe et le XIVe siècles. Il était descendant du septième Imâm, Musâ Kâẓem, et vit le jour à Barzanje (province de Kirkuk en Irak). Son père, Sheikh 'Isi était un chef religieux. Sa mère, Khâtun Dâyrâk, ou Ramzbar, était une sainte. Après la mort de son père, il quitte son village pour le Kurdistan iranien, et s'installe à Seikhân (région d'Awrâmân). Contemporain de Timur Leng (Tamerlan) qui le rencontra, il vécut plus de cent ans.

Solṭân et 'Ali sont les deux manifestations de l'Essence divine totale, c'est pourquoi Solṭân pouvait dire : « Moi et 'Ali nous ne faisons qu'un. »

Sous son règne spirituel, les secrets de la *ḥaqiqat* et de l'imâmat, jusqu'alors jalousement préservés, furent dévoilés et fixés sous forme de lois, de principes et de piliers de vérité transcrits dans un grand poème en langue kurde awrâmâni. Ce texte sacré contient les paroles de Solṭân Seḥâk, de ses compagnons et de deux maîtres qui le précédèrent, Shâh Khoshin et Bâbâ Navus. L'ensemble constitue le Kalâm-e Saranjam, ou Kalâm-e Khazâne [5].

5. *Kalâm* ou *daftar* s'applique à une parole parfaite qui convainc l'auditeur et ne requiert pas d'explication rationnelle. Ceux qui ont pénétré le sens ésotérique du *kalâm* sont appelés *kalâmkhân*. Pour comprendre un *kalâm,* il faut en dominer la langue, connaître la science dogmatique islamique (car un *kalâm* doit être en accord avec le sens ésotérique du Coran), et avoir enfin parfaitement réveillé ses sens spirituels. La version originale du Kalâm-e Saranjam a disparu, mais un certain nombre de copies, reconstituées d'après des traditions orales, ont été conservées par de pieux disciples. Les copies les plus anciennes sont les plus proches de l'original, mais certaines copies datant du début du XXe siècle sont très fautives, et contiennent des additions et des corrections dues notamment à un derviche indigne, du nom d'Abdel Samad. Toutes les versions authentiques ont été réunies par Ḥâjj Ne'matollâh et par Maître Elâhi, et seuls les manuscrits falsifiés circulent encore dans les mains des orientalistes. Il faut préciser qu'un *kalâm* est un objet sacro-saint, dont un vrai Fervent de Dieu ne se sépare jamais, sauf pour

tions accumulés par des chefs religieux ignorants et peu scrupuleux.

Le seul ouvrage complet sur l'ésotérisme Ahl-e Ḥaqq est celui de Maître Elâhi intitulé *Démonstration de la Vérité* [1], où sont clairement exposés les origines, les rites, les principes, la métaphysique des Ahl-e Ḥaqq. Ce livre s'appuie sur les 72 versions du Kalâm-e Saranjam qui ont été rassemlées par Ḥajj Ne 'matollâh et Maître Elâhi, et sur les *kalâm* d'autres bâṭen-dar, comme Sheikh Amir, Qoshtchi Oqli et Ne 'matollâh. Il s'appuie aussi, comme tous les *kalâm,* sur le Coran, si bien qu'il fait autorité, aussi bien pour les Ahl-e Ḥaqq que pour tous les musulmans. *Borhân el Ḥaqq* a été entièrement approuvé par tous les Ahl-e Ḥaqq, car tout y est en conformité avec les lois de Solṭân, le fondateur de la secte. En conséquence, les vrais Ahl-e Ḥaqq sont aujourd'hui ceux qui mettent en pratique les vérités exprimées dans *Borhân el Ḥaqq*. Parmi les nombreux écrits de Maître Elâhi, deux autres livres ont été édités : *Ma 'refat-e Ruḥ* (« La Gnose de l'âme », Téhéran, 1348 H.), et un commentaire sur le *Shâh Nâme-ye Ḥaqiqat* de Ḥajj Ne 'matollâh (Téhéran, 1345 H.).

Fondements et principes

La Voie des Fervents de Dieu est fondée sur quatre principes : « pâki », « râsti », « nisti » et « redâ ».

Pâki signifie à la fois pureté et propreté. C'est-à-dire que dans la vie matérielle, le corps, les vêtements, la demeure et la nourriture doivent être propres. Dans la vie spirituelle, les pensées, les paroles et les actes doivent être purs. Cette propreté s'étend aussi au métier et à tous les autres moyens de subsistance, qui doivent être acquis licitement.

Râsti signifie droiture, mais indique également le

1. *Borhân el Ḥaqq,* Téhéran, 1343 H. 3e édition augmentée d'un long commentaire, 1354.

chemin le plus direct qui mène à Dieu. Pour cela, il faut se soumettre totalement à la volonté de Dieu et mettre en pratique Ses ordres et Ses interdictions. Bref, on appelle le droit chemin l'obéissance à Dieu et le refus du péché, particulièrement du mensonge.

Nisti, ou l'humilité au sens spirituel du terme. C'est-à dire extirper de soi l'orgueil, la suffisance, la vanité, la luxure, la méchanceté, la vilenie, etc. Ces défauts recouvrent l'âme comme d'une épaisse couche de fumée noire, lui coupant toute communication. Lorsqu'elle en est débarrassée, l'âme prend conscience et reconnaît Dieu.

Redâ, ou le dévouement. C'est-à-dire venir en aide aux créatures d'une manière désintéressée, de telle sorte que l'on soit un appui pour les autres. En plus des quatre principes, il existe quatre choses particulièrement sacrées :

Les *Bayâbas,* contrats ou décrets divins établis par Dieu ou ses anges chaque fois qu'une ère spirituelle nouvelle s'amorce. Il y a eu sept *bayâbas.* Le premier, appelé *bayâbas-khavândegâri* [1] est antérieur à la création. Le deuxième et le troisième sont les *bayâbas Jan* et *Banijan* [2]. Le quatrième marque la création de l'homme, le cinquième la fin de la prophétie et le début de la Valâyat ; le sixième, la fin de la Valâyat. Enfin, par le *bayâbas-perdiwâri* furent fixées les lois des Fervents de Dieu et divulgués les secrets des vies successives jusqu'alors préservés par les prophètes et les *Vali.*

Le *Kalâm-e Saranjan* et les *kalâm des grands maîtres Ahl-e Ḥaqq.* Les quatre *Kalâm* qui renferment toutes les lois divines sont : le *Kalâm-e Saranjam* de Solṭân, le *Kalâm* de Sheikh Amir, qui est une interprétation du *Kalâm-e Saranjam* écrit en lori et en kurde, celui de Koshtchi-Oqli, traduction du *Kalâm-e Saranjam* en turc, et enfin les Kalâm de Haj Ne'matollâh composés en prose et en vers kurdes et persans. Il a interprété, détaillé et enrichi le *Kalâm-e Sarajam,* et a réglé en détail les lois et les rites des Ahl-e Ḥaqq. Tous ces

1. *Khavândegâr* : Dieu.
2. Génies et descendants de génies.

doit être arrosée et nourrie jusqu'à ce que la graine donne un germe, et le germe une jeune pousse, un arbrisseau. En accélérant ou intensifiant le processus par des méthodes artificielles, on court le risque d'étouffer l'âme, trop à l'étroit dans son réceptacle. Le développement de l'âme doit se faire en harmonie avec les conditions terrestres. Un homme parfait n'est pas un surhomme, mais un homme dont l'âme s'est développée pour passer à l'étape suivante sans plus avoir besoin d'un corps comme support. Le travail avec le corps humain touche alors à sa fin, et le cycle des vies terrestres s'achève ; c'est à ce stade que nous parlons de perfection au sens terrestre. Lorsque l'âme est suffisamment développée, elle est alors transplantée dans une autre terre qui est purement spirituelle et se situe dans l'autre monde. Dans un nouveau milieu, elle suit toujours la voie de la perfection, et dépend toujours d'une école, d'un maître parfait, mais cette fois le travail est d'une autre nature et se réalise dans la joie, sans peine, et avec la certitude de parvenir à sa propre perfection.

L'école ésotérique des Ahl-e Haqq

L'enseignement de Maître Elâhi est dérivé de l'Islam shi'ite duodécimain. Il constitue l'achèvement des doctrines ésotériques détenues par les initiés de l'ordre spirituel des Ahl-e-Ḥaqq [1] fondé au XIVe siècle par Soltân Esḥâq [2].

La foi Ahl-e Ḥaqq repose essentiellement sur le mystère de la manifestation divine. Depuis la création d'Adam, l'Essence divine est toujours présente sur terre sous Sa forme totale ou partielle, dans un réceptacle humain. De nombreux prophètes et envoyés étaient habités par l'Essence divine *(ẕât-mehmân),* mais très rares furent ces êtres qui, comme l'Imâm 'Ali, manifestèrent la Divinité dans Sa plénitude *(ẕât-bashar).*

Pour les musulmans shi'ites, Mohammad marque la fin de la prophétie et le commencement de la *valâyat,* du cycle des douze Imâms, détenteurs de l'autorité et dépositaires des secrets spirituels préservés par les prophètes et les saints depuis la création de l'homme. 'Ali était une manifestation divine totale, et les onze descendants étaient habités par la même Essence. Au moment de l'occultation du douzième Imâm s'est tenue une réunion spirituelle appelée Bayâbas-e Sâj-e Nâr [3],

1. Ahl-e Ḥaqq, parfois traduit par « Fidèles de Vérité », équivaut plutôt à « Fervents de Dieu ».

2. Appelé aussi Solṭân Sehâk, Sâheb Karâm ou Solṭân.

3. *Bayâbas* : contrat nécessaire et suffisant. *Sâj* : vasque en

Kalâm, ainsi que ceux de Sheikh Amir et les soixante-douze exemplaires du *Kalâm-e Saranjam* sont dans les mains de Bahrâm Elâhi. Il existe d'autres *Kalâm* et d'autres écrits de Maîtres de l'Ordre, mais leur importance est moindre.

Jam et *jamkhâne* : la réunion des fidèles, le lieu de réunion et le repas communiel. Il s'agit essentiellement d'une réunion de prière et de bénédiction de nourriture. Ceux qui y participent sont uniquement des hommes ayant été « baptisés », intronisés lors de la cérémonie du *Sar-sepordan*[3]. Les femmes ne se mêlent pas au groupe, mais suivent la cérémonie dans un lieu contigu. Ceux qui n'ont pas été « baptisés », se tiennent debout en dehors du cercle formé par les participants. Le cercle symbolise une union parfaite et sans préséance entre les fidèles. Toutefois, une place spéciale est attribuée au *kalâm-khân* ; à ses côtés se tiennent le *seyed* et celui qui distribue le mets béni *(khalife).* Un autre *(khadem)* se tient debout à l'extérieur du cercle. Chaque nouvel arrivant qui entre dans le cercle doit saluer chacun des participants. Le cercle ne doit pas être brisé, et les fidèles, assis sur leurs talons, ne doivent pas se lever, ni s'asseoir autrement pendant la cérémonie.

Les modalités spirituelles sont principalement les suivantes : avoir l'intention de s'approcher de Dieu, faire des prières intérieures, être propre d'âme et de corps. On ne prononce aucune parole profane, et l'on ceint sa taille d'une ceinture ou d'un cordon qui symbolise la décision d'aller à Dieu, d'être prêt à faire l'effort nécessaire pour Le trouver. La réunion spirituelle repose sur le principe que l'union fait la force spirituelle. Les mets consacrés sont chargés d'un pouvoir subtil : ils renforcent la santé de l'âme et aussi celle du corps. Après la cérémonie, ils sont distribués en parts égales à tous les participants et aux personnes présentes. D'autres peuvent en bénéficier à condition qu'elles ne consomment ni alcool ni porc au moins deux jours avant et après avoir pris la nourriture bénie.

3. *Sar sepordan* : livrer la tête.

Le *jam* est sacré parce que, comme l'a décrété Solṭân, il est un lieu d'apparition de l'Essence divine (à condition que les participants soient unis de cœur et d'esprit).

Shart va Eqrâr signifie le contrat et l'acceptance qui relient le disciple à Solṭân, ainsi qu'à Pir Benyâmin et à Dâvud. Chez les Ahl-e Ḥaqq on marquait cet événement par la cérémonie du don de la tête *(sar sepordan)*. Le disciple est remis dans les mains de son *dalil,* qui correspond, sur le plan ésotérique, à Dâvud, l'Archange Raphaël. Cet être a pour fonction de conduire l'initié vers Pir Benyâmin, qui correspond sur le plan ésotérique à l'Archange Gabriel, à l'Esprit Saint. Pir Benyâmin est celui qui remet l'initié entre les mains de Dieu. Au temps de Solṭân, l'un de ses sept compagnons *(haft-tan)* était Dâvud, un autre était Pir Benyâmin ; ils guidaient les disciples vers Solṭân, qui était Pâdshâh, Roi spirituel, parce qu'il manifestait l'Essence divine dans sa totalité.

Les Règles de la Voie

1. Le disciple qui veut aborder cette Voie doit avoir soif de vérité et rechercher l'amour de Dieu. Il doit être dans l'état de celui qu'une voix intérieure guide vers un but inconnu. Rien au monde ne le satisfait. Il est comme un assoiffé qui court de toutes parts à la recherche d'eau, et tant qu'il n'aura pas trouvé le chemin qui le conduira à la source de l'Unité divine, il ne s'arrêtera pas de courir.

Les disciples ignorent les savants ésotériques et les différentes écoles ésotériques qui ne cherchent qu'à distraire leurs adeptes. Dans cette école, on apprend à discerner la volonté de Dieu et à connaître son soi afin de connaître Dieu.

2. Connaître Dieu à travers un homme parfait. Cet homme parfait est le *Vali* de son temps, c'est-à-dire qu'il représente Dieu sur la terre.

3. Lutter contre le *nafs*. Dans cette lutte, il faut implorer la faveur de Dieu, et avoir l'aide directe d'un maître parfait. Le maître enseigne tout d'abord à ses disciples à reconnaître leur soi impérieux ; il leur apprend aussi à fortifier leur volonté et les différentes techniques de lutte, qui sont appropriées au cas de chacun.

4. Avoir Dieu toujours présent à l'esprit. Il faut que le disciple voie en tout événement la volonté de Dieu. Il ne se plaint donc de rien ni de personne, et comme il sent Dieu en toutes choses, il L'aime dans tout et dans tous.

C'est l'intention qui compte en tout, et nos actions sont jugées d'après nos intentions. Les hommes de bonne volonté dévient rarement du droit chemin.

6. L'école affirme la doctrine des vies successives de l'âme. La durée maximale de vie terrestre pour chaque âme est fixée à 50 000 ans. C'est ce que l'école appelle le Cycle du Perfectionnement, lequel n'a rien à voir avec les théories de la métempsycose.

7. Les Fervents de Dieu obéissent aux préceptes du Coran. Ils considèrent comme illicite tout ce que le Coran interdit, notamment le porc et l'alcool. De plus, ils ne boivent pas de thé et ne fument pas. Ils rejettent de même toutes les sortes de drogues, car sans une complète maîtrise de soi il est impossible d'atteindre le but.

8. Dans la vie quotidienne, ils doivent se comporter comme tout le monde. Il est recommandé d'étudier, d'avoir une profession, un foyer, des enfants, et d'aider les autres.

L'école condamne absolument la mendicité, le vagabondage, le parasitisme, car cela est en contradiction avec la noblesse de l'âme. Le comportement social des disciples doit être exemplaire, et ils doivent respecter les lois morales et civiques de leur société.

9. Les rites sont les suivants : ils prient cinq fois par jour : le matin, à midi, l'après-midi, au coucher du

soleil, et la nuit après minuit. La durée et le contenu de la prière dépendent de l'état de chacun. Ce qui importe, c'est la qualité de la prière, qui est en rapport direct avec la concentration sur Dieu. Une minute de prière avec concentration a plus de valeur que des heures de mouvements de la langue. Ils ne se concentrent pas pour voir ou découvrir le surnaturel, mais seulement pour adorer, pour accomplir leur devoir d'adorateur de Dieu. Celui qui se concentre dans le but d'une découverte surnaturelle fait un marché avec Dieu : il échange sa prière contre une vision, qui est un amusement spirituel, et il ne lui reste rien. De plus, il contracte une accoutumance spirituelle et rend son âme malade d'une maladie difficilement guérissable. Il arrive que les disciples aient des visions pendant leurs prières, ou même hors de leurs prières, mais ces visions diffèrent des visions recherchées intentionnellement, car elles viennent de Dieu et ont une signification particulière.

Les disciples de cette école ont un jeûne obligatoire de trois jours à un moment particulier de l'hiver. Ces trois jours sont les douzième, treizième et quatorzième jours du mois lunaire qui est compris dans les soixante premiers jours de l'hiver.

Chacun, dans la mesure de ses possibilités matérielles, peut faire des offrandes sous différentes formes, des sacrifices (de bœufs, de moutons ou de coqs), ou des dons de charité qui doivent être distribués le plus tôt possible. Les offrandes et les sacrifices sont offerts à Dieu et aux âmes des saints, soit pour leur intercession, soit pour sceller un vœu. Les dons de charité sont efficaces pour le pardon des âmes des morts et pour prévenir les calamités. Les offrandes sont préparées et bénies suivant un rituel spécial.

En plus des prières individuelles, les disciples se réunissent pour accomplir des prières collectives, selon un rituel particulier *(jam* et *jamkhâne),* auquel on ne peut assister sans permission préalable.

10. Le livre de Maître Elâhi, *Borhân el Haqq* a, pour ses disciples, valeur de commandements.

Table

Troisième partie

Quatrième partie

Cinquième partie

« Spiritualités vivantes »
Collection fondée par Jean Herbert

au format de poche

1. *La Bhagavad-Gîtâ,* par Shrî AUROBINDO.
2. *Le Guide du Yoga,* par Shrî AUROBINDO.
3. *Les Yogas pratiques (Karma, Bhakti, Râja),* par Swâmi VIVEKANANDA.
4. *La Pratique de la méditation,* par Swâmi SIVANANDA SARASVATI.
5. *Lettres à l'Ashram,* par GANDHI.
6. *Sâdhonâ,* par Rabindranâth TAGORE.
7. *Trois Upanishads (Iskâ, Kena, Mundaka),* par Shrî AUROBINDO.
8. *Spiritualité hindoue,* par Jean HERBERT.
9. *Essais sur le Bouddhisme Zen,* première série, par Daisetz Teitaro SUSUKI.
10. – *Id.*, deuxième série.
11. – *Id.*, troisième série.
12. *Inâna-Yoga,* par Swâmi VIVEKANANDA.
13. *L'Enseignement de Râmakrishna,* par Jean HERBERT.
14. *La Vie divine,* tome I, par Shrî AUROBINDO.
15. – *Id.*, tome II.
16. – *Id.*, tome III.
17. – *Id.*, tome IV.
18. *Carnet de pèlerinage,* par Swâmi RAMDAS.
19. *La Sagesse des Prophètes,* par Muhyi-d-dîn IBN 'ARABÎ.
20. *Le Chemin des Nuages blancs,* par ANAGARIKA GOVINDA.
21. *Les Fondements de la mystique tibétaine,* par ANAGARIKA GOVINDA.
22. *De la Grèce à l'Inde,* par Shrî AUROBINDO.
23. *La Mythologie hindoue, son message,* par Jean HERBERT.
24. *L'Enseignement de Mâ travda Mayî,* traduit par Josette HERBERT.

Nouvelles séries dirigées par
Marc de Smedt

25. *La Pratique du Zen,* par Taisen DESHIMARU.
26. *Bardo-Thödol. Le Livre tibétain des morts,* présenté par Lama ANAGARIKA GOVINDA.
27. *Macumba. Forces noires du Brésil,* par Serge BRAMLY.
28. *Carlos Castaneda. Ombres et lumières,* présenté par Daniel C. NOËL.
29. *Ashrams. Les grands Maîtres de l'Inde,* par Arnaud DESJARDINS.
30. *L'Aube du Tantra,* par Chogyam TRUNGPA.
31. *Yi King,* adapté par Sam REIFLER.
32. *La Voie de la perfection,* par BAHRÂM ELÂHI.

*L'impression de ce livre a été effectuée
par l'imprimerie Aubin à Ligugé
pour les Éditions Albin Michel*

AM

*Achevé d'imprimer en janvier 1982
N° d'édition, 7461. N° d'impression, L 14266
Dépôt légal, mars 1982*

Imprimé en France